LA POETICA
DE LUIS CERNUDA

Editora Nacional, Madrid (España)
ISBN: 84-276-1280-X
Depósito legal: M. 28.872-1975. Printed in Spain
Impreso en Talleres Gráficos Montaña
Avenida Pedro Díez, 3. Madrid-19

ALFAR, COLECCION DE POESIA

Agustín Delgado

LA POETICA
DE LUIS CERNUDA

EDITORA NACIONAL

San Agustín, 5 - Madrid

INTRODUCCION

Antes de nada, antes de cualquier lectura crítica de Cernuda, se ha de partir, a nuestro parecer, de la convicción de que su poesía constituye un corpus cuyo desarrollo es orgánico y natural, muy a diferencia del devenir de otros corpus poéticos coetáneos, en los que prima otra pauta de composición y de creación: así, para citar un ejemplo de contraste, el orden arquitectural del Cántico *de Jorge Guillén.*

La idea que ha de subyacer a cualquier trabajo sobre Cernuda es ésa. Octavio Paz lo ha expresado con infalible intuición:

«Alguna vez escribí que su creación era semejante al crecimiento de un árbol, por oposición a las construcciones verbales de otros poetas. Esa imagen era justa sólo a medias: los árboles crecen espontánea y fatalmente, pero carecen de conciencia. Un poeta es aquel que tiene conciencia de su fatalidad, quiero decir: aquel que escribe porque no tiene más remedio que hacerlo, y lo sabe. Aquel que es cómplice de su fatalidad, y su juez. En Cernuda, espontaneidad y reflexión son inseparables y cada etapa de su obra es una nueva tentativa de expresión y una meditación sobre aquello que

expresa. No cesa de avanzar hacia dentro de sí mismo y no cesa de preguntarse si avanza realmente. Así, La realidad y el deseo *puede verse como una biografía espiritual, sucesión de momentos vividos y reflexión sobre esas experiencias vitales.»*

La cita, tomada del trabajo fundamental de Paz sobre Cernuda, recogido en Cuadrivio, *ha sido larga e iluminadora. Ese crecimiento orgánico del árbol, de un imposible árbol dotado de conciencia, capaz de doblarse y leer en su interioridad cómo y hasta dónde crece, cuáles son los activadores externos e íntimos de su crecimiento, sería la imagen que mejor definiría el proceso creador cernudiano. El movimiento de la poesía de Cernuda puede recordar —en símil quizá menos feliz— el de las ondas ensanchándose concéntricas en el estanque perturbado por el guijarro. Imposibles ondas, que en su caminar pudieran volver los ojos constantemente sobre sí. Tal símil plasma ese carácter que denominamos concéntrico, en la obra cernudiana. Y que complementa al que la imagen del árbol aporta, fijándose sobre todo en la variedad del crecimiento, traducida por la variedad del ramaje. En Cernuda, influencias culturales y experiencia exterior son móviles que aguijonean y enriquecen continuamente la sucesión de momentos vividos. Y esa tensión proyecta su obra hacia sucesivos estadios.*

En este libro, por lo demás tangencial, nos atenemos a tal principio y sólo en una dimensión de las posibles: es decir, que en él procuramos tan sólo describir alguna de las incidencias que otras experiencias poéticas tuvieron en su alto potencial creador. No todas, sino algunas de ellas. Es nuestro propósito dar fe de su impar capacidad selectiva para nutrirse de lo que en cada momento su espíritu poético necesitaba. Poesía pura, Jorge Guillén, Garcilaso, los surrealistas y el surrealismo, Bécquer, Hölderlin, la poesía inglesa, seña-

10

lan etapas de su creación, en una doble tarea de flujo nutricio y reflujo de mismidad. Quede para un próximo estudio perseguir las ricas galerías de esa mismidad tan sutil e intransferible.

Una advertencia antes de poner fin a estas líneas introductorias: citaremos en nuestro trabajo los textos poéticos de Cernuda según la cuarta edición de La realidad y el deseo, *hecha por el FCE en Méjico en 1964. En lo que toca a este menester, no ofrece discrepancias significativas con la edición crítica —valiosísima y única— publicada recientemente en Barral Editores bajo los auspicios de tan altos especialistas como Luis Maristany y Derek Harris.*

I. BIOGRAFIA DE URGENCIA

La realidad y el deseo, obra que reúne todo lo que Cernuda estimó como poesía no escrita en prosa, puede verse como una biografía espiritual. Enumerar, por tanto, los hechos notables de su existencia es tanto como un primer acercamiento a su obra.

Luis Mateos Bernardo José Cernuda Bidón nace en Sevilla el 21 de septiembre de 1902, a las siete y media de la mañana, si hemos de fiarnos de la inscripción de nacimiento [1]. Es necesario documentar esta fe-

---

[1] Copia de la inscripción de nacimiento:

«Ministerio de Justicia.—Registros Civiles.—S e r i e AB.—número 201.996.—Certificación literal de Inscripción de Nacimiento.—S e c c i ó n 1.ª—Tomo 107.—Página 42.—Folio...... Registro Civil de Sevilla, oficina número dos.—Provincia de ídem.—El asiento al margen reseñado literalmente dice así: Acta núm. 42.—LUIS CERNUDA BIDON.—En la ciudad de Sevilla, a las doce y media de la mañana del día venticuatro de septiembre de mil novecientos dos, ante el señor don Antonio Montells y Raya, Juez Municipal suplente del Distrito del Salvador de la misma; y don José Salazar y Huertas, Secretario, compareció don Bernardo Cernuda Bousa, natural de Maguabo, provincia de Puerto Rico, mayor de edad, de estado casado, profesión Comandante de Ingenieros, domiciliado en esta ciudad, calle Conde de Tójar, número seis, con objeto

cha, dado que algunos biógrafos del poeta la sitúan más dentro del siglo, y para evitar la maledicencia circulante de que el poeta gustaba de cometer la frivolidad de quitarse años. Francesco Tentori caen en esa falta informativa al decir que Cernuda nace el 21 de febrero de 1904 [2]. Rafael Santos Torroella sitúa esta fecha en el 21 de septiembre de 1904 [3].

Otra cuestión debatida es la del señalamiento de la calle donde el poeta nació. Vio la primera luz en la calle de Tójar (hoy Acetres), en el número seis. Calle denominada también Conde de Tójar [4]. Rafael Santos Torroella refiere que el compositor Salvador Moreno

---

de que se inscribe en el Registro Civil un niño; y al efecto como padre del mismo, declaró: Que dicho niño nació en su domicilio el día veintiuno del corriente a las siete y media de la mañana.—Que es hijo legítimo del declarante y de su mujer, doña Amparo Bidón y Cuéllar, natural de esta ciudad.—Nieto por línea paterna de don Bernardo y de doña Concepción Bousa, naturales el primero de Marín (Pontevedra), y la segunda de Palma de Mallorca, difuntos; y por la materna de don Ulises y doña Amparo Cuéllar, naturales, el primero de Bhediol (Francia), y la segunda de Sevilla, difunta.—Y que al expresado niño se le habrá de poner el nombre de Luis, Mateos, Bernardo, José.—Fueron testigos presenciales los mayores de edad y vecinos de esta ciudad don Ulises Bidón y Cuéllar, natural de Sevilla, provincia de ídem, domiciliado Alba, uno; y don Miguel Fernández Palacios, natural de Sevilla, provincia de ídem, domiciliado Aurora, treinta y uno.—Leída íntegramente esta acta, e invitadas las personas que deben suscribirla a que la leyeren por sí mismas, si así lo creían conveniente, sin que ninguno lo hubiese hecho se estampó en ella el sello del Juzgado Municipal y la firmaron el señor Juez, compareciente y testigos, de que certifico.—Antonio Montells. Bernardo Cernuda.—U. Bidón.—Miguel F. Palacios.—José Salazar.—Rubricados.

[2] L. Cernuda. *Antología poética*. Academia Sansoni Editori. Milano, 1971, p. 7.

[3] Luis Cernuda. *Antología poética*. Prólogo de R. Santos Torroella, p. 11.

[4] Vid. acta inscripción nacimiento.

le contó que a su vez Cernuda le había declarado —cosa que no había hecho a nadie más—, que había nacido en la calle de Toja. No hay tal calle. Sucedería que el compositor no percibió la *r* final, pronunciada por el andaluz Cernuda, y transcribió la palabra como *Toja.*

Su padre era comandante de ingenieros. Philip Silver dice que su padre era coronel de Ingenieros [5], pero en el acta de nacimiento consta que, al menos cuando el niño nació, poseía tal grado militar. En idéntico error incurre Santos Torroella en el citado prólogo.

En el acta de nacimiento consta el lugar de origen de los padres y abuelos del poeta: su padre se llamaba Bernardo Cernuda Bouza, natural de Maguabo, provincia de Puerto Rico; y era el nombre de su madre Amparo Bidón y Cuéllar, natural de Sevilla.

La procedencia de los abuelos paternos era como sigue: don Bernardo Cernuda, de Marín (Pontevedra); doña Concepción Bouza, de Palma de Mallorca. Por línea materna, don Ulises Bidón era originario de Bhediol (Francia), y doña Amparo Cuéllar, de Sevilla.

Había en su sangre confluencia gallega, francesa y sevillana.

Fue bautizado en la parroquia del Divino Salvador, iglesia situada en el entonces centro de Sevilla [6].

Luis es el menor. Tiene dos hermanas: Amparo y Ana. Su familia pertenece a la burguesía de la ciudad. Su padre, militar, conduce el hogar con férrea disciplina. Cernuda hereda de él una cierta cualidad insobornable.

En el libro de poemas en prosa *Ocnos* [7], Cernuda re-

[5] *Et in Arcadia Ego. Study of the poetry of Luis Cernuda,* de Philip Silver. Támesis Books. Londres, p. 4.

[6] Vid. acta inscripción nacimiento.

[7] *Ocnos,* de Luis Cernuda. 3.ª edición. Universidad Veracruzana. Méjico, 1963.

construye el paralelo desarrollo sicobiológico de su infancia y el despertar poético. Tomando con reserva esos textos, desde los que el poeta «inventa» una niñez hace tiempo ida, se puede hilvanar, con la ayuda de otras declaraciones menos artísticas, algo de lo que fue ese desarrollo.

Por un lado, la sensación de libertad le embriagaba [8]. Hay un paralelismo grande entre su niñez y la del escritor francés André Gide. No es extraño que idénticas circunstancias les hayan acercado a las mismas posiciones. El despertar de una sensibilidad fuera de lo común, que le hacía maravillarse ante la realidad recién descubierta, leyendo debajo una segunda realidad, alada y divina, lo aparta del comportamiento general [9]. De manera similar A. Gide:

«hay la realidad y hay los sueños y hay además una segunda realidad» [10].

La soledad es consecuencia natural de su éxtasis infantil ante el mundo. Escribe en un poema de *Ocnos,* titulado «El tiempo»:

«Recuerdo aquel rincón del patio en la casa natal, yo a solas y sentado en el primer peldaño de la escalera de mármol (...). Allí, en el absoluto silencio estival, subrayado por el rumor del agua, los ojos abiertos a una clara penumbra que realzaba la vida misteriosa de las cosas, he visto cómo las horas quedaban inmóviles, suspensas en el aire, tal la nube que oculta un dios, puras y aéreas, sin pasar» [11].

---

[8] Luis Cernuda. *Poesía y literatura.* «Historial de un libro», página 24.

[9] Luis Cernuda. *Ocnos,* «La poesía», Universidad Veracruzana. México, 1963, pp. 9-10.

[10] André Gide. *Si la semilla no muere.* Buenos Aires. Losada, 1962. 3.ª edición, p. 19. (Tomado del libro de José María Capote Benot, p. 17.)

[11] Luis Cernuda. *Ocnos.* Méjico. Universidad Veracruzana, 1963, pp. 29-30.

En la primera niñez Cernuda va al colegio de San Ramón, en la calle Bailén. Tiene que pasar por la calle Monsalves, llena de casas de prostitución:

«(...) Una mañana de invierno, camino yo del colegio más temprano, roja aún la luz eléctrica en algún cristal, luchando con el vago amanecer, al cruzar aquella calle vi parado un coche ante la casa... Por la acera, una mujer alta vestida de amarillo, el abrigo de piel derribado sobre un hombro, paseaba dando voces coléricas junto a la puerta de la casa, al fin abierta.

»Un temor infantil me impidió pasar junto a ella, y desde la otra acera vi su cara pálida y deslucida, cubierta de pesados afeites, el pelo estoposo teñido, negreando a ambos lados de la raya que lo dividía sobre la frente, terrible y risible, con algo de muñeca fláccida cuyo relleno se desinfla...»[12].

Quizá este *shock* desgarrado en el frágil cristal de la niñez cernudiana tenga que ver, en sus, más tarde, inclinaciones amorosas.

Es en estos años cuando Cernuda entra por azar en contacto por vez primera con la poesía:

«Aún sería Albanio muy niño cuando leyó a Bécquer por vez primera. Eran unos volúmenes de encuadernación azul con arabescos de oro, y entre las hojas de color amarillento alguien guardó fotografías de catedrales viejas y arruinados castillos. Se los habían dejado a las hermanas de Albanio sus primas, porque en tales días se hablaba mucho y vago sobre Bécquer, al traer desde Madrid sus restos para darles sepultura pomposamente en la capilla de la universidad. Entre las páginas más densas de prosa, al hojear aquellos libros, halló otras claras, con unas cortas líneas de leve cadencia. No alcanzó entonces (aunque no por ser un niño, ya que la mayoría de los hombres crecidos tampoco al-

12 Luis Cernuda. *Ocnos*, pp. 43-45.

canzan ésto) la desdichada historia humana que rescata la palabra pura de un poeta. Mas al leer sin comprender, como el niño y como muchos hombres, se contagió de algo distinto y misterioso, algo que luego, al releer otras veces al poeta, despertó en él, tal el recuerdo de una vida anterior, vago e insistente, ahogado en abandono y nostalgia» [13].

Los padres cambian de domicilio más tarde: su nueva casa está en el cuartel de Ingenieros, en el Prado. P. Silver consigna este cambio de domicilio, suponiendo que tiene lugar para la calle del Aire, hecho que no sucederá hasta bastantes años después [14].

Los viejos libros de viajes, con grabados de países exóticos, son lectura ávida para el niño Cernuda, alimento de su fantasía:

«... Luego, en otros rincones de la biblioteca y no tan a la vista, le aparecieron pliegos sin encuadernar de libros idénticos; pero esta vez los países y las comarcas de que hablaban eran más remotos: India, Japón, regiones vastas del continente africano y americano... El niño entonces sólo sabía contemplar largamente los grabados e ir de ellos al texto, saturándose de la variedad, de la vastedad, de la maravilla del mundo...» [15].

Va al colegio de los padres escolapios. A los catorce años, su profesor de retórica, don Antonio López, le pide en clase que componga una décima, como ejercicio práctico, y se la corrige. Le da el precepto estético de que en toda obra literaria siempre ha de haber un asidero plástico. No lo olvidará nunca el poeta Cernuda. Le pone el primero de la clase, lo que le trae como

---

[13] Luis Cernuda, *ibid,* pp. 57-58.
[14] P. Silver. *Op. cit.,* p. 5.
[15] Luis Cernuda, *ibid,* pp. 72-73.

consecuencia impopularidad entre los compañeros. Idéntico rencor al que sufrió A. Gide.

El propio Cernuda señala otro dato digno de ser constatado: la coincidencia de esta primera tentativa de escribir versos con el despertar sexual de la pubertad:

«Aquella noche prendió en ti sólo una chispa del fuego en el cual más tarde debías consumirte, para renacer igual que el fénix...» [16].

Deseo de dicha sin remordimiento, frenado por la timidez enfermiza y el miedo, y que va a ser ya entonces alimentado por el conocimiento de los mitos griegos.

Hacia 1918 su familia cambia otra vez de domicilio. Va a vivir al número cuatro de la calle del Aire, una casa típicamente andaluza del barrio de Santa Cruz.

El curso 1919-20 es el primer curso universitario de Cernuda, en la universidad sevillana. Sus estudios fueron realizados en la facultad de Derecho, de 1919 a 1925 [17]. En el curso 1919-20 conoce a Pedro Salinas,

---

[16] Luis Cernuda. *Ibid,* p. 79.

[17] F. López Estrada. «Estudios y cartas de Cernuda (1926-1929)». *Insula,* núm. 207, febrero, 1964, p. 3. Transcribimos el cuadro con las asignaturas, profesores y calificaciones de Cernuda en la facultad de Derecho.

Profesor	Asignatura	Exámenes Junio	Exámenes Septiemb.
	Curso 1919-20		
	Facultad de Filosofía y Letras (Prep. de Derecho)		
Pedro Salinas	Lengua y Lit. Española	Aprobado	
José de Castro	Lógica Fundamental	Aprobado	
Miguel Lasso de la V.	Historia de España	Aprobado	

Profesor	Asignatura	Exámenes Junio	Exámenes Septiembre

Curso 1920-21

Facultad de Derecho

Profesor	Asignatura	Exámenes Junio	Exámenes Septiembre
Joaquín Campos M.	Elementos Der. Natural	Suspenso	Aprobado
José López de Rueda	Inst. de Derecho Romano	Aprobado	
Ramón Carande	Economía Política	Suspenso	Aprobado

Curso 1921-22

Profesor	Asignatura	Exámenes Junio	Exámenes Septiembre
Francisco de Casso F.	Historia del Derecho Español	Aprobado	
Eloy Montero	Inst. de Derecho Canónico	Notable	
Enrique Martí Gares	Derecho Político Esp. Comp.	Aprobado	

Curso 1922-23

Profesor	Asignatura	Exámenes Junio	Exámenes Septiembre
Carlos García Oviedo	Derecho Administrativo	Sobresaliente	
Demófilo de Buen	Derecho Civil Español	Notable	
Federico Castejón	Derecho Penal	Notable	
Ramón Carande	Elementos Hacienda Pública	Aprobado	
Adolfo Moris	Der. Intern. Público	Notable	

Curso 1923-24

Profesor	Asignatura	Exámenes Junio	Exámenes Septiembre
Demófilo de Buen	Derecho Civil Español	Sin examen	Notable
José Xiráu y Paláu	Procedimientos judiciales	Sin examen	Suspenso
Adolfo Mom.	Der. Internacional Priv.	Sin examen	Aprobado

Curso 1924-25

Profesor	Asignatura	Exámenes Junio	Exámenes Septiembre
Ricardo Checa	Derecho Mercantil	Notable	
Adolfo Cuéllar	Procedimientos judiciales	Sobresaliente	
Adolfo Cuéllar	Práctica Forense	Sobresaliente	

Su expediente académico tiene el número 174. Título de bachiller, expedido por el rector de la universidad, el 14 de agosto de 1919, Reg. al folio 31, núm. 345.

que ocupaba la cátedra de Sevilla por vez primera ese año. Explica Salinas desde febrero (hasta entonces había sido profesor de la asignatura de literatura española don Cristóbal Bermúdez Plata). Habla acerca de la generación del 98 y el siglo dieciocho. Son condiscípulos de Cernuda sus amigos José de Montes González, Higinio Capote Porrúa, Carlos García Fernández.

Las lecturas del poeta son en esta época: D'Anunzio: *Forse che si, forse che no,* traducción de J. Gómez de la Serna, Lautréamont, Mallarmé, Gide, Claudel. No le gustó *Madame Bovary,* pero sí Balzac. De la literatura española, frecuenta los clásicos: Garcilaso, Fray Luis de León, Góngora, Lope, Quevedo, Calderón[18].

Algo que le apasiona inmediatamente es el cine. La película *Gran Hotel* le impresiona. Su actriz preferida es Mae Murray[19].

En 1920, hacia el final, muere su padre, y su madre le concede la emancipación[20].

---

[18] Luis Cernuda. *Poesía y literatura,* pp. 235-6.

[19] F. López Estrada. «Estudios y Cartas de Cernuda». *Insula,* febrero, 1964, p. 3.

[20] Nota al margen de la inscripción de nacimiento. Transcribimos:

«NOTA.—Don José Esquivias y Zurita, Juez Municipal y Encargado del Registro Civil del Distrito del Salvador. Certifico: que el inscrito Luis Cernuda Bidón, y a que se refiere el acta del Centro ha sido emancipado por escritura otorgada por su madre doña Amparo Bidón y Cuéllar, mayor de edad, viuda, su casa, y de esta vecindad, ante el Notario público de esta ciudad don Félix Sánchez-Blanco y Sánchez, con fecha diez y seis de noviembre del año actual, concediéndole los beneficios de la mayor edad, para que pueda regir su persona y bienes, en la forma y limitaciones prescritas en el artículo trescientos diecisiete del Código Civil; el menor emancipado Luis Cernuda, ha prestado su consentimiento a la emancipación referida.—Y para que así conste, extiendo la presente nota marginal en Sevilla, a diez de diciembre de mil novecientos veinte.—El Juez Municipal.—Firma ilegible.—El Secretario Suplente: Fco. Cerdeño; rubricados.»

23

En casa de Salinas hay reuniones literarias a las que acuden, casi todas las tardes, González Requena, Romero Murube, Higinio Capote, Cernuda y Romero Martínez.

En 1923-24, Cernuda hace el servicio militar en el regimiento de caballería. Es un momento decisivo para su vida y su poesía:

«Hacía entonces el servicio militar en el regimiento de caballería y todas las tardes salía a caballo con los otros reclutas, como parte de la instrucción, por los alrededores de Sevilla; una de aquellas tardes, sin transición previa, las cosas se me aparecieron como si las viera por vez primera, como si por primera vez entrara yo en comunicación con ellas, y esa visión inusitada, al mismo tiempo, provocaba en mí la urgencia expresiva, la urgencia de decir dicha experiencia. Así nació entonces toda una serie de versos, de los cuales ninguno sobrevive» [21].

Parece sugerir el poeta, ante esa visión inusitada y esa fuerza expresiva, unidas, que una nueva luz, iluminadora de una zona tan importante después para él, la amorosa, se enciende.

Su indolencia no sale aminorada del servicio militar, sino fortalecida. Dice en una carta a su amigo Capote:

«... Me han licenciado. Puedo aprovechar bien estos días; sin embargo, no espero hacer cosa mayor...» [22].

Pedro Salinas nos ha dejado un doble recuerdo de este momento vivo cernudiano; en la universidad y fuera de ella:

« ¡No me lo he perdonado aún! ¡Y ya va para venticinco años! No le conocí, de primeras. ¡Meses y meses, de octubre a mayo, sentados frente a frente, aula número cuatro, universidad de Sevilla! ¡Y nada...! Pero él era alumno oficial de mi clase de literatura;

---

[21] Luis Cernuda. *Poesía y literatura*, p. 234.
[22] José María Capote Benot. *Op. cit.*, p. 28.

mi año primero de enseñanza. Los dos novicios, él en su papel, y yo en el mío. Y no le conocí, y se estuvo cerca de un año un profesor — ¡y de literatura! — delante del poeta más fino, más elegante que le nació a Sevilla, después de Bécquer, sin saberlo» [23].

El segundo recuerdo de Salinas no agradó a Cernuda:

«Y allí Luis Cernuda, en su casa: una casa seria, sencilla, recatada, nada de macetas, nada de santitos de azulejos, nada de pamplinas cerámicas ni floripondios de metal blanco, las paredes; verde, la pintura de los hierros de la cancela. Siempre iré a buscarlo allí, o a su poesía.

»¿No es lo mismo?

»Porque allí le conocí... algo más. Difícil de conocer. Delicado, pudorosísimo, guardándose su intimidad para él solo, y para las abejas de su poesía que van y vienen trajinando allí dentro —sin querer más jardín— haciendo su miel. La afición suya, el aliño de su persona, el traje de buen corte, el pelo bien planchado, esos nudos de corbata perfectos, no es más que deseo de ocultarse, muralla del tímido, burladero del toro malo de la atención pública.

»Por dentro, cristal. Porque es el más Licenciado Vidriera de todos, el que más aparta la gente de sí, por temor de que le rompan algo, el más extraño» [24].

Aunque la imagen vidrieresca no sea afortunada, Salinas da en la diana al apreciar uno de los motivos clave del dandysmo cernudiano: su timidez y su deseo de ocultamiento.

Es posible que, al morir su padre, el ambiente de clase media en que se crió, cuyos ficticios privilegios y reales dificultades —sin conocer la abundancia cono-

[23] Pedro Salinas. *Ensayos de Literatura Hispánica*. Madrid, 1958, p. 372.
[24] Pedro Salinas. «Nueve o diez poetas». *Ensayos de Literatura Hispánica*. Madrid, 1958, p. 373.

cía, en cambio, sus exigencias— marcaban a una juventud indecisa, fuera en él asimismo influyente.

Cernuda encuentra en Gide un hermano en la sensibilidad:

«Por idénticas fechas, sobre todo, comencé a leer a André Gide, del cual Salinas me dejó primero, no sé si sus *Prétextes,* o sus *Nouveaux prétextes,* y luego sus *Morceaux choisis.* Me figuro que Salinas no podía suponer que con esa lectura me abría el camino para resolver, o para reconciliarme, con un problema vital mío decisivo. De mi deuda para con Gide algo puede entreverse en el estudio que sobre su obra escribí entre 1945 y 1946. La sorpresa, el deslumbramiento que suscitaron en mí muchos de los *Morceaux,* no podría olvidarlos nunca; allí conocí a Lafcadio, y quedé enamorado de su juventud, de su gracia, de su libertad, de su osadía. No creo que los pocos versos que escribí en 1951 («In memoriam A. G.») al morir André Gide, puedan dar al lector cuenta bastante de cuánto significó su obra en mi vida» [25].

El problema vital es el amoroso, y asevera que se trata de una reconciliación. Recuérdense los paseos a caballo cuando el servicio militar. Lafcadio es la concreción de ese amor. Es decir, un personaje de ficción, un depositario de valores como belleza, juventud, libertad. Lafcadio es el arquetipo al que Cernuda referirá sus futuros amados.

Con la poesía y el amor, otro centro de interés del Cernuda joven: la filosofía. Mas con desdichados comienzos: un profesor pedante de historia del pensamiento en su curso universitario no incita su incipiente curiosidad por ella. Lee algo de Schopenhauer y Nietzsche, y, en pésima traducción podada al extremo, *El capital.*

---

[25] Luis Cernuda. *Poesía y literatura,* pp. 236-7.

A finales de septiembre de 1925 conoce en Sevilla a Juan Ramón Jiménez. Su timidez provinciana le impide una comunicación real con el poeta:

«... Recuerdo mi primer encuentro con el poeta, a quien conocí por mediación de Pedro Salinas, que ya antes le había dado copia de algunos versos primerizos míos. Fue en Sevilla, una noche a fines de septiembre hacia 1925. Jiménez pasaba por Sevilla camino de Moguer, para ver a su madre.

»Salinas me pidió que rogara a un compañero mío de universidad, cuyo padre era alcaide del Alcázar, nos permitiera visitar los jardines, habitualmente cerrados a esas horas. Quienes conozcan el lugar podrán suponer, lo que su fondo añadiría, en la imaginación de un poeta mozo, a la presencia casi mítica del gran poeta, del maestro considerado como algo divino. Naturalmente, creo que no dije palabra, y benevolencia extremada debió tener conmigo si no me consideró como un completo idiota. Era yo un chico provinciano, sin costumbre, no digo de tratar a gentes como Jiménez (porque las gentes como Jiménez no abundan), sino de tratar a cualquier clase de gente, tímido de por sí y entonces atado aún más por la timidez, y encima de todo eso el fardo de una admiración quintaesenciada y absurda. Añádase la presencia de Zenobia Camprubí, mujer del poeta; su presencia, dada la timidez ya indicada, y una falta de curiosidad e interés hacia la mujer, en cuanto mujer, de la que yo no me había dado aún cuenta clara, hicieron todavía más enojosa mi situación. No obstante, me sentía como el creyente a quien en un trance sobrenatural se le permite vislumbrar un rincón del Paraíso» [26].

Por estas fechas comienza Cernuda a publicar. Unas prosas suyas ven la luz en la revista de Derecho de la

---

[26] Luis Cernuda. *Poesía y literatura* II, pp. 110-11.

universidad sevillana (1924-1925). Los primeros poemas, mediante los buenos oficios de Salinas, ven la luz asimismo en *La Revista de Occidente,* número XXX, diciembre de 1925. Se trata de las siguientes composiciones: «Vidrio de agua en manos del hastío», «La noche a la ventana», «Se goza sueño azogado», «El fresco verano llena», «El amor mueve el mundo», «La soledad. No se siente», «Cuán tierna la estación», «La desierta belleza sin oriente».

Entreabiertas las puertas de los círculos poéticos de la capital, viaja a Madrid por vez primera. En carta a Capote, fechada el 17 de enero de 1926, le comunica que ha conocido a Bergamín, Dalí, d'Ors, Guillermo de Torre, y añade:

«...conozco ya a casi toda la joven literatura y he recibido bastantes elogios por mis versos. Ortega, digno de toda admiración y respeto, me ha invitado a seguir trabajando» [27].

Valle Inclán, según apostilla en la posdata, le dice que no ha leído sus versos, pero que están bien por el hecho de haber escrito décimas.

Las revistas en las que por esos años colabora son las mismas que animan los compañeros de generación.

Después de este corto viaje de 1926 a Madrid, tiene que volver a Sevilla para presentarse a unos exámenes. Son los finales. Licenciado en Derecho, no sabe qué camino seguir: a la par le solicitan la creación poética y la necesidad de una regularidad económica. Viendo que le es imposible acceder a la carrera diplomática, que según parece sería su gusto, opta por inclinarse a preparar oposiciones de secretario de ayuntamiento:

«He pedido a Reus el programa a oposiciones a secretario de ayuntamiento, ya que no puedo hacer la carrera diplomática que tanto me gusta, ni la consular,

---

[27] José María Capote Benot. *Op. cit.,* p. 30.

que necesita estudiarse en Madrid para tener posibilidad de éxito. Cuando reciba dicho programa pediré
apuntes para preparar definitivamente esa oposición» [28].

Continúa su afición al cine. Le entusiasma George
O'Brien. Ve *El gran desfile,* de John Gilbert, y *El peregrino,* de Charles Chaplin.

Su primer libro de versos se publica en 1927. Es un
suplemento de *Litoral,* la revista malagueña dirigida
por Emilio Prados y Manuel Altolaguirre. Hace el número cuatro de los suplementos: los tres anteriores eran
Canciones, de Federico García Lorca; *La amante,* de
Rafael Alberti, y *Caracteres,* de José Bergamín. Le nacen al libro críticas desaprensivas, negándole toda originalidad en nombre de Guillén.

De esta época es el inigualable apunte de Juan Ramón sobre el poeta sevillano:

«Bajó, ledo confesor oriental, de su pétreo pie de la
puerta grande, ¡inconmovible catedral sevillana!, atra-
vesó gradas por el aire estrecho, en superpuestos perfiles, y vestido de actual modo negro su moreno amarillo, llegó al tren de la tarde con un ramito de clave-
linas blancas en la cuidadosa mano. ¡Adiós! ¿Cómo se
perdía luego y sin madre, en el crepuscular laberinto de
Santa Cruz, este delgado solitario, erecto desdeñoso?
¿Qué fina y fuerte aguja interior, qué eje sutil lo sos-
tenía bajo el grana sorbo asfixiante, azucena de hierro
giraldina para todos los vientos de la poesía, quieta,
triste, por falta atmosférica?

»Sólo en el fondo de otra casa, de otra calle, calle
del Aire, esculpido, labrado suavemente por esa íntima
tarde eterna andaluza, de las cuatro a las nueve, Luis
Cernuda fue, es, sigue siendo el más esencial, hondo
sobrebecqueriano de los poetas jóvenes españoles. No
tiene cara de Bécquer, tiene calidades de Bécquer cua-

---

[28] Francisco López Estrada. *Op. cit.,* p. 17.

renta años delante, equivalentes transparencias jenerales, oro, marfil, plata en espíritu, góticas bandas anjélicas alrededor de su diferente verso. Sus huesos de alabastro suenan como otro teclado preciosamente pálido en lo oscuro, otra arpa, sin polvo, por milagro auténtico, en el ángulo penumbra de otro largo salón del mediodía. Todo en su canto es pétalo si flor, pulpa si fruta. Confunde, como la magnolia, la acacia rosa y blanca, el nardo, fruto y flora. No tiene leña su tierra granada rosicler en punto.

»En Madrid ahora Luis Cernuda, después de sus despueses, su morenía la noto más malaya, palúdica, verdesur. Parece siempre, en cualquier sitio, que viene cimbreándose bajo ricas sombras marinas de palmeras, orilla de Guadalquivires al mar. Un vaho de patio de naranjos lo envuelve, lo sume en caricia luz esencia. Libre de Sevilla, lo siento más enjaulado en arquitecturas de Sevilla, májicas alambreras de arjente y blanco, malva y oro, cuatro liras al fin, en jaula para ruiseñor encantado en extraño grillo real. Y si voy a Sevilla y paso por Gradas, miro sin poeta confesor la pilastra vacía de la que aleó el estraño volador Luis Cernuda; falta en el amarillo quieto su voz de arpa entrecortada, su respiración del azahar y el jazmín, el tono de su corazón de ópalo» [29].

Juan Ramón se refiere a la primera estancia de Cernuda en Madrid. En julio de 1928 muere su madre y vende la casa de la calle del Aire. Se va de Sevilla y nunca ya volverá. Los últimos meses en su ciudad los pasa hospedado en una pensión de la calle Rosario.

Ya en Madrid, su primera visita es para Vicente Aleixandre:

«A Luis Cernuda le conocí en Madrid. Estaba yo ordenando unos libros, en una habitación donde los ha-

---

[29] Juan Ramón Jiménez. *Españoles de tres mundos.* Losada. Buenos Aires, 1942, pp. 163-64.

bía dispersos por algunos estantes, cuando oí la voz que me anunciaba: "Luis Cernuda". Volví la cabeza y allí estaba: silencioso, enlutado, fino. Octubre de 1928. Yo sabía de Luis Cernuda que era el autor de un libro de poesía aparecido el año anterior: *Perfil del aire.* Que era de Sevilla y vivía allí, en una callecita de la ciudad exhalada. Sutil y densísimo, ese primer volumen de poemas estaba ahí, en esa tabla, al lado justo de la figura que en ese momento daba unos pasos. Nos sentamos y empezamos a hablar. Tenía el pelo negro, de un negro definitivo, partido en raya, con hebra suelta y lisa sobre su cabeza. La tez, pálida; escueta la cara, con el pómulo insinuado bajo la piel andaluza. Dominaban allí unos ojos oscuros y un poco retrasados, tan pronto fijos, tan pronto vagos y renunciadores. Le vi con ellos recorrer las cosas, como si las estuviese viendo pasar en una corriente, mientras oía su voz con dejo sevillano serio, modular unas breves palabras amistosas...» [30].

En agosto está ya trabajando en la librería de don León Sánchez Cuesta, situada en la calle Mayor, número 4. Es asiduo en la Residencia de Estudiantes. Dice de su trabajo en la librería, en carta con fecha 21 de agosto de 1928:

«Tiene la ventaja de hacerme ir de un lado a otro durante el día, y así no me devoro a mí mismo una y otra vez a lo largo de las horas. Con alguna vaga esperanza en perspectiva, la felicidad es mía» [31].

A Madrid lo encuentra maravilloso. Dice en otra carta a Capote:

«Yo me siento pletóricamente mundano. El exterior procuro que no desentone con esta inclinación espiritual: trinchera, sombrero, guantes, traje —la mayoría

---

[30] Vicente Aleixandre. *Los encuentros.* «Luis Cernuda deja Sevilla». Madrid. Guadarrama, 1958, p. 139.
[31] Francisco López Estrada. *Op. cit.,* p. 16.

de procedencia inglesa—. Sobre todo unas exquisitas camisas que me han costado, ¡ay!, una suma verdaderamente fabulosa... Pero ¡qué delicia!

»Cines —Callao, Palacio de la Música, Avenida, a veces cines distantes como Goya o Royalty—, salones de té, bares —Bakanik o Sakuska—, me ven a menudo»[32].

Por entonces fragua el proyecto de un lectorado en Toulouse. Con la eficaz intervención de Salinas, después de proponerle trabajar en el Centro de Estudios Históricos, obtiene la plaza. Salinas le anima a que curse la carrera de Letras, que va más con su temperamento. De su ilusión ante la perspectiva del viaje y estancia en Toulouse nos da la medida otra carta a Capote, donde le explica pormenores:

«... Ni tú ni Montes me escribís; quiero, necesito vuestra carta antes de marchar a Toulouse. Porque me marcho, sí, a mediados de la semana próxima. Toulouse existe ya para mí, según una guía; es una ciudad alegre, con grandes bulevares, teatros, ópera, ballet e innumerables cinemas. Además, tiene salones de té. ¿Qué más? El Centro me da para el viaje quinientas pesetas y mi sueldo es de quinientos francos. No tengo que pagar gastos de alimentación, aunque sí alojamiento. Pienso estudiar bastante; haré la carrera de Letras, y después no sé... Madariaga me escribió dándome amplias promesas; me indicó que estudiara inglés. Salinas —a quien debo lo de Toulouse— me indica la carrera de Letras. Antes de marcharme seré presentado a Menéndez Pidal»[33].

Llegado a la ciudad francesa, se instala en un barrio distante, rodeado de jardines, de parques silenciosos. Vive en un cuarto bajo de techo, tapizado, con dos ventanas, chimeneas, alfombras y cojines. Se rodea de

[32] *Ibid*, p. 16.
[33] *Ibid*, p. 16.

libros: *Romancero*, Garcilaso; de fotografías: jardines de Sevilla, Greco, Velázquez, Zurbarán. Resurge interiormente el español. Toulouse no está mal: cines detestables, librerías magníficas, hace frío, hay niebla, llueve.

En una tarjeta postal, nada más llegar, deja grabado su primer contacto con Francia:

«Crepúsculo, niebla, sherry, y jazz. ¿No es todo un programa? Y mi tristeza un poco byroniana. Desengañado, desengañado»[34].

El trabajo escolar le resulta difícil. Como a todo principiante, lo que llevaba preparado para la clase estaba dicho en pocos minutos y el resto de la hora se erguía amenazado frente a él.

París le fascinó. Recorrer los puestos de libros del Sena, los discos de jazz, las pinacotecas. Estaba en el aire parisino flotando la moda surrealista. Cernuda no hizo sino encontrar en ella el cauce o respuesta de algo que venía buscando:

«De regreso en Toulouse, un día, al escribir el poema "Remordimiento en traje de noche", encontré de pronto camino y forma para expresar en poesía cierta parte de aquello que no había dicho hasta entonces. Inactivo poéticamente desde el año anterior, uno tras otro surgieron los tres poemas primeros de la serie que luego llamaría: *Un río, un amor*, dictados por un impulso similar al que animaba a los superrealistas...»[35].

Después de *Perfil del aire*, había compuesto, estando todavía en Sevilla y Madrid: *Egloga, elegía, oda*. También hay un libro: *Cielo sin dueño*, que, al menos con tal título, no publicó, y que en 1928 anuncia su edición en CIAP (Compañía Iberoamericana de Publicaciones), con prólogo de Salinas. R. Santos Torroella, en el prólogo de la antología de la editorial Plaza y Ja-

[34] *Ibid*, p. 16.
[35] Luis Cernuda. *Poesía y literatura*, p. 245.

3

nés, aventura que los poemas de ese libro son los de la serie *Un río, un amor.*

Lee con voracidad a L. Aragón, A. Breton, P. Eluard, Crevel.

De regreso en Madrid, finalizado el curso escolar, se afana redactando toda esa primera remesa de poemas surrealistas, terminándola. Está en un momento vital de liquidación de las ataduras que le ligan al pasado: en actitud sicológica, alejándose definitivamente de Sevilla; en poesía, escribiendo de modo que lo que quiere decir le parece más urgente que los laberintos de la rima.

La música de jazz, los países exóticos —Estados Unidos, Italia— le subyugan. Sigue leyendo las revistas del grupo surrealista. Su protesta y rebeldía contra la sociedad y las bases sobre las cuales se halla sustentada, hallan en él asentimiento.

La sociedad, para Cernuda, es, antes que ninguna otra, la que le rodea. Estamos en la caída de la dictadura de Primo de Rivera y el resentimiento nacional contra el Rey. Su punto de vista es más que pesimista, negativo y desgarrado. Dice en la «Introducción» a sus poemas de la antología de Gerardo Diego, en 1931:

«No sé nada, no quiero nada, no espero nada. Y si aún pudiera esperar algo, sería morir allí donde no hubiese penetrado aún la grotesca civilización que envanece a los hombres» [36].

Y en idénticas fechas, proyecta su visión lacerante sobre España:

«... España se aparecía como país decrépito y en descomposición; todo en él me mortificaba e irritaba. No sé si, de haber tenido la suerte de nacer en otra tierra, ésta me hubiera parecido tan desagradable...» [37].

---

[36] Gerardo Diego: *Poesía Española, Antología 1915-31.* Madrid, 1932; en *Poesía española contemporánea (1901-34).* Nueva edición completa. Madrid, 1959, p. 691.

[37] Luis Cernuda. *Poesía y literatura,* pp. 247-8.

Para soportar este estado de ánimo tan sombrío, y descartados por su fondo, según él, burgués, Salinas y Guillén, se refugia en sus otros amigos: García Lorca, Aleixandre. La amistad con Aleixandre adquiere matices de intimidad y confidencia humana destacables:

«Aleixandre y yo habíamos hecho un pacto: evitar lecturas mutuas en alta voz de nuestra labor inédita, y hasta las referencias literarias en general. Creo recordar que él cumplió la primera condición; la segunda era imposible cumplirla. Por mi parte, temo que acaso no cumplí la primera tan bien como Aleixandre, y desde luego en modo alguno la segunda.

»A quien parezca absurda dicha actitud debo recordarle que Aleixandre y yo queríamos formar una amistad humana, no literaria; la vida, y no la literatura, era lo que más importaba.

»Una admirable cualidad humana es la de saber escuchar... Ninguno como Vicente Aleixandre tenía tal predilección por suscitar y atender a la confidencia ajena. Hubiera podido ser un consejero de almas y de hecho lo fue para alguno de nosotros. No pocos casos y conflictos de almas y de cuerpos supo aclarar, cuando no aliviar por la misma confesión, entre sus amigos. Testimonio puede dar quien así lo escribe...

»De mí puedo decir que en aquella época no había gozo o pena que no exigiera su comunicación entera a Vicente Aleixandre. Si los dos estábamos en Madrid, tenía yo que visitarle o llamarle al teléfono; si alguno de los dos estábamos fuera, le escribía una carta. Hoy, al recordar esto, no sé qué admirar más, su atención o su paciencia nunca desmentidas» [38].

Trabaja por entonces Cernuda de nuevo en la librería de Sánchez Cuesta. Comienza en 1931 a escribir *Los placeres prohibidos*, que, al igual que *Un río, un*

---

[38] Luis Cernuda. «Vicente Aleixandre». Orígenes. La Habana, 1950, núm. 26, pp. 9-15.

amor, redacta de una vez, sin correcciones. No así los libros primeros, que le habían exigido borradores numerosos y «estados sucesivos».

En el trabajo «Historial de un libro», del que venimos haciendo exégesis en este perfil biográfico, traza el poeta con mano maestra su radiografía espiritual, extensible a todas las etapas de su creación:

«... Desde que comencé a escribir versos me preocupaba a veces la intermitencia que ocurría, a pesar mío, en el impulso para escribirlos. Este no dependía de mi voluntad, sino que se presentaba cuando quería; una experiencia inaplacable, una necesidad expresiva, eran, por lo general su punto de arranque. El impulso exterior podía depararlo la lectura de algunos versos de otro poeta, oír unas notas de música, ver a una criatura atractiva; pero todos esos motivos externos eran sólo el pretexto, y la causa secreta un estado de receptividad, de acuidad espiritual que, en su intensidad desusada, llegaba, en ocasiones a sacudirme con un escalofrío y hasta a provocar lágrimas, las cuales, innecesario es decirlo, no se debían a una efusión de sentimientos. Aprendí a distinguir entre lo que pudiera llamar la causa aparente y la causa real de aquel estado a que acabo de referirme, y al tratar de dar expresión a su experiencia, vi que era la segunda la que importaba, aquella de la cual debía partir el contagio poético para el lector posible.

»En ocasiones, dichos períodos de sequedad o esterilidad eran de unos meses, de un año, de dos; poco a poco fui viendo cómo, lejos de ser períodos estériles, eran períodos de descanso y de renuevo, igual que los del sueño lo son para el cuerpo y, después de ellos, al volver a escribir, observaba que mi trabajo se había enriquecido y transformado. De lo cual comprendí que no sólo eran provechosos, sino necesarios, resultando en el crecimiento y desarrollo de la mente. Pero conviene que el poeta no se abandone durante tales períodos de inactividad involuntaria, sino que cultive asiduamente la lectura, la música, los viajes, todo aquello que conoce como fructífero para alimentarle y renovarle. Aparte de que también le es posible el trabajo literario de otro orden, cuando el impulso poético no le anima» [39].

La larga cita ha sido necesaria. Difícilmente se encontrará en la poesía española de este siglo objetivación más transparente del oficio de la poesía. En todo caso, lo transcrito es espejo nítido del quehacer literario de Cernuda.

El 14 de abril de 1931 llega electoralmente la República. Cernuda, acompañado de Aleixandre, se mezcla y suma al entusiasmo popular madrileño. Que no era ficticia su alegría lo prueba el relato explayado de Aleixandre, en el que, en dilatada panorámica, muestra cuáles eran, a pesar de su pesimismo, las esperanzas cívicas del sevillano:

«Recuerdo haberle visto gustoso en un movimiento humano exaltado: masa madrileña, la ciudad hervidora en un trance decisivo para el destino nacional. Era un día de abril y las gentes corrían, con banderas alegres, por improvisadas. Enormes letreros frescos, cándidos, con toda la seducción de lo vivo espontáneo, ondeaban en el aire de Madrid. Mujeres jóvenes, hombres maduros, muchachos, niños. En los coches abiertos iban las risas. Cruzaban camiones llevando racimos de gentes, mejor habría que decir de alegría, gritos, exclamaciones. Pocas veces he visto a la ciudad tan hermanada, tan unificada: la ciudad era una voz, una circulación y, afluyendo toda la sangre, un corazón mismo palpitador. Por aquella calle de Fuencarral, estrecha como una arteria, bajaba el curso caliente, e íbamos Luis y

---

[39] Luis Cernuda. *Poesía y literatura,* pp. 249-250.

yo rumbo a la Puerta del Sol, de donde partía la sístole y diástole de aquel día multiplicador. Luis, con su traje bien hecho, su sombrero, su corbata precisa, todo aquel cuidado sobre el que no había que engañarse, y rodeándonos, la ciudad exclamada, la ciudad agolpada y abierta, exhalada, prorrumpida habría que decir, como un brote de sangre que no agota ni se agota, pero que se irguiese. La alegría de la ciudad es más larga que la de cada uno de los cuerpos que la levantan, y parece alzarse sobre la vida de todos, con todos, como prometiéndoles, y cumpliéndoles, más duración. Así, cuando unas gargantas enronquecían, otras frescas surgían, y era un techo, mejor un cielo de griterío, de júbilo popular en que la ciudad cobraba conciencia de su existencia, en verdad de su mismo poder. Ella se sentía voz e hito, como un ademán que se desplegase en la historia.

»Luis marchaba sin impaciencia. Todo había sido repentino. El encrespamiento de la ciudad, en la alegría resolutoria, la marcha o el hervor común, el regocijo sin daño, la punta de sol, dando sobre las frentes: todo, una esperanza descorredora y, en el fondo, el ámbito nacional. Pero Madrid es chiquito y cada hombre un Madrid como un pecho con su porción de corazón compartido. Luis y yo habíamos marchado como un día cualquiera, porque aún no se esperaba del todo aquello, ignorado de cada cual. Recuerdo aquel movimiento súbito por aquella calle, como por tantas calles que no se veían. ¿De qué hablaba Luis Cernuda? En aquel instante, quién sabe; quizá de un tema literario. Cada uno de los transeúntes se hizo de pronto espuma del curso atropellador: curso mismo o su parte y él su coronante expresión. Luis y yo, flotadores, remejidos, urgidos, batidos y batidores, aguas ondas y salpicadas crestas todo a instantes y todo en la comunión. Bajaba el río por la calle de Fuencarral y desembocaba en la

Red de San Luis. Por la Gran Vía descendía otra masa humana, no apretada propiamente sino suelta y fresca, con sus banderas y sus cantos, sus chistes públicos, sus risas primeras, una multitud niña, lavada, con lienzos blancos levantados a los rayos del sol. Y en medio los grandes camiones como pesados elefantes que llevasen gentes iguales, reidoras, bailadoras, saludadoras con los ojos, con las manos, con las miradas salutíferas que eran propiamente una invitación a vivir. Porque era vida, vida del todo la ciudad, con los ojos puestos en su mismo esperanzado crecimiento natural.

»Luis Cernuda y yo, inmersos, no disueltos, bajábamos casi a oleadas, arriba, abajo, tan pronto claros, tan pronto hondos, sostenidos o sostenedores, hacia la desembocadura o hacia la reunión, si la había, de las aguas, final. Un instante, en atención a él, al ser pasados en el movimiento de las aguas de la calzada a la acera, le dije: "¿Quieres que nos vayamos por esta bocacalle ahora al pasar? Se puede." "No", oí su respuesta. "No", dijo sonriendo; "no", asintiendo, casi diría extendiendo sus brazos en el movimiento natural. Un momento le miré como nadador. Pero en seguida pensé: no, agua mejor, curso mejor. Y le vi a gusto. Sonrió y se dejó llevar» [40].

Su participación activa en las Misiones Pedagógicas, dando charlas sobre arte por el sur y Castilla, es otra prueba de su fe esperanzada. De estas fechas data igualmente su vaga adhesión al comunismo, formando parte del equipo de la revista *Octubre,* seguramente por invitación personal de Alberti.

El período de inactividad creadora que va de *Los placeres prohibidos* a *Donde habite el olvido* significa para él el abandono del surrealismo:

«Este había deparado ya su beneficio, sacando a luz

---

[40] Vicente Aleixandre. «Luis Cernuda, en la ciudad», *La Caña Gris.* Valencia, otoño 1962, pp. 11-2.

lo que yacía en mi subconciencia, lo que hasta su advenimiento permaneció dentro de mí en ceguedad y silencio. Ya no tenía necesidad del superrealismo y comenzaba a ver, por otra parte, la trivialidad, el artificio en que degeneraba al convertirse en fórmula poética»[41].

Una absorbente conmoción sentimental, segunda después de un amor evanescente e inconcreto, cuyas iridiscencias quedaron plasmadas en *Los placeres prohibidos,* le sobreviene al poeta. El amado es ahora real y devuelve amor al inexperto amante. De la hondura y entrega de Cernuda nos habla elocuentemente el poema en prosa: «Aprendiendo olvido»:

«Subías a la casa, entrabas en el salón (lámparas veladas, voces conocidas, piano cuyo teclado pulsaba lánguida una mano), deseando tanto la presencia como la ausencia de un ser, pretexto profundo de tu existencia entonces. Para tu obsesión amorosa era imposible la máscara; mas la trivialidad mundana, pues que debías acompasarte a ella, actuaba como una disciplina, y por serlo aliviaba unos instantes el tormento de la pasión enconada, punzando hora tras hora, día tras día, allá en tu mente.

»Y sonreías, conversabas, ¿de qué?, ¿con quién?, como otro cualquiera, aunque dentro de poco tuvieras que encerrarte en una habitación, tendido a solas en un hecho, revolviendo por la memoria los episodios de aquel amor sórdido y lamentable, sin calma para reposar la noche, sin fuerza para afrontar el día. Ello existía y te aguardaba, ni siquiera fuera sino dentro de ti, adonde tú no querías mirar, como incurable mal físico que la tregua adormece sin que por eso salga de nosotros. Por el balcón abierto, frente al cual se extendían a lo lejos las frondas espesas del parque, venía otra

[41] Luis Cernuda, *Poesía y literatura,* p. 251.

vez hasta ti más insistente y concreto, el aroma de las acacias mojadas de lluvia, y las esrellas parecían más límpidas y próximas que antes allá abajo, desde la calle. ¿Cuál era el sueño? ¿El sufrimiento interior o el goce exterior, de la piel, del olfato, al sentir la caricia del aire limpio ya y frío de la madrugada, pasado con aroma de flor y humedad de lluvia, en la primavera del tiempo humano?» [42].

Cernuda se acusa de egoísta en esta experiencia amorosa, y por ello la califica de sórdida. No tenía madurez, era demasiado cándido y demasiado cobarde. Los poemas que de ella surgieron, como recuerdo de un olvido, le resultan éticamente desechables.

Pero, vivencialmente, la experiencia ha sido necesaria:

«Nada puedes percibir, querer ni entender si no entra en ti primero por el sexo, de ahí al corazón y luego a la mente; por eso tu experiencia, tu acorde místico, comienza con una prefiguración sexual» [43].

Los contactos con Bergamín le deparan una serie de colaboraciones en *Cruz y Raya:* una muestra antológica de sonetos clásicos sevillanos de Arguijo, Medrano y Rojas; y trabajos en prosa como «Bécquer y el romanticismo español» o «Divagaciones sobre la Andalucía romántica».

Publicado el libro de poemas *Donde habite el olvido,* por la Editorial Signo, de Madrid, en 1934, comienza Cernuda a componer «Invitaciones a las gracias del mundo», titulado más tarde *Invitaciones.* Comienza a leer a Hölderlin, cuyo conocimiento ha sido una de sus mayores experiencias como poeta.

En «Historial de un libro» vuelve a objetivar su trayectoria poética introspectivamente:

---

[42] Luis Cernuda. *Ocnos,* pp. 111-13.
[43] Luis Cernuda. *Ocnos,* p. 193.

«Importa que el poeta se dé cuenta de cuándo acaba una fase y comienza otra en su desarrollo espiritual; mientras el poeta está vivo, es decir, mientras no se agote su capacidad creadora, esa mutación ocurre de modo natural, como la de las estaciones del año, nutriéndose de cuanto le depara nuestro vivir. Creo que es necesidad primera del poeta el reunir experiencia y conocimiento, y tanto mejor mientras que más variados sean. Unas palabras de Empédocles, aunque desligadas de su sentido original, referentes según creo a la transmigración de las almas: "Porque antes de ahora he sido un muchacho y una muchacha, un matorral y un pájaro, y un pez torpe en el mar", me parecen expresar a maravilla esa sucesión varia y múltiple de experiencia y conocimiento que el poeta requiere, a falta de la cual su obra resulta pálida y estrecha. En mi caso particular, el cambio repetido de lugar, de país, de circunstancias, con la adaptación necesaria a los mismos, y la diferencia que el cambio me traía, sirvió de estímulo, y de alimento, a la mutación. No indico, por otra parte, cuánto pudo ayudarme ahí la necesidad de aprender lenguas nuevas, con la riqueza que la poesía de esas lenguas aportaba a mi acervo» [44].

Publica en 1936 «El joven marino», poema suelto en la colección madrileña «Héroe», dirigida por Manuel Altolaguirre. Y el primero de abril del mismo año se termina de imprimir la primera edición de *La realidad y el deseo,* título definitivo de su obra total en verso, bajo el cual y en ediciones sucesivas se irían agrupando como partes de un único poema, todos los que escribiera. Cuida de la edición, rara en escrupulosidad y belleza, Manuel Altolaguirre en sus talleres de la calle Viriato, y dentro de las ediciones de la revista *Cruz y Raya.* El libro marca un hito entre las publicaciones de su generación.

---

[44] Luis Cernuda. *Poesía y literatura,* pp. 251-252.

Arturo Serrano Plaja, Juan Gil-Albert, Enrique Azcoaga, Lorenzo Varela, publican críticas entusiastas. Y Juan Ramón Jiménez, una vez más, es exégeta de excepción:

«El ejemplo que nos da este libro, doblemente bello por su contenido y su aspecto, de Luis Cernuda, su nuevo sentido en el desfile por él de las cuatro primaveras. En Luis Cernuda las cuatro estaciones son primavera. Un dejo, un balbuceo del más delicado romanticismo inglés y alemán, injertado en el mejor, más fino sobrerrealismo francés, contribuyen, creo yo, a esta total impresión de ternura juvenil. Luis Cernuda brota el arbusto primaveral, otoñal, estival, invernal de su poesía, vivo siempre por dentro y por fuera, de yemas donde lo terso, blanco, rosa, amarillo, está fundido con un primer fuego verde jeneral. Todo el libro por graves, melancólicos, heroicos que sean o quieran ser los temas, nos trae una sensación de adolescencia. La inspiración de Luis Cernuda es un Adonis errante entre ruinas clásicas, que toman por el suelo todas las formas de la ilusión, hundidas con abril eterno en prados de verde florido; Adonis que espera a su poeta, mientras en el naranjal con violetas al pie, las nueve Musas suspiran solas su abandono.

»Gracioso presente a la vida el de este Luis Cernuda; que crece en edad y poesía manteniendo siempre su propia delicadeza primera del sur (Otro título para su libro sería *Perpetuo adolescente*)» [45].

Con el pretexto de la aparición del libro, se le tributa en Madrid un homenaje, publicándose la convocatoria en el diario *El Sol*, el 19 de abril de 1936, en la página cuatro, firmada por Aleixandre, Alberti, Altolaguirre, Concha Méndez, Concha de Albornoz, María Teresa León, Rosa Chácel, Delia del Carril, Lorca,

---

[45] Juan Ramón Jiménez. Diario *El Sol*, 26 abril 1936, p. 4.

Guillén, Gerardo Diego, Neruda, Arturo Serrano Plaja, Salinas, Bergamín, Moreno Villa y Miguel Pérez Ferrero [46].

Philip Silver en su libro da otros nombres, que quizá se sumaran después: Vicente Salas Viu, Manuel Fontanals, Elena Cortesina, Santiago Ontañón, Eugenio Imaz [47].

Lorca declara en el banquete:

«No me equivoco. No nos equivocamos. Saludemos con fe a Luis Cernuda. Saludemos a *La realidad y el deseo* como uno de los mejores libros de la poesía actual de España» [48].

Inmediatamente sale Cernuda para París. El día 9 de julio para ser exactos. Va como secretario del embajador Alvaro de Albornoz, en compañía de la hija de éste, Concha, también secretaria de la embajada y una de las poquísimas amistades que conservó hasta el fin de su vida. Estuvo en París tres meses; de julio a septiembre. Entre los libros que adquirió en la capital francesa está una antología griega, editada en la colección G. Budé. Al regresar el embajador a Madrid, regresó con él y su familia.

«La nostalgia natural de dejar París se unía a lo incierto y difícil de la situación española. Al principio de la guerra, mi convicción antigua de que las injusticias sociales que había conocido en España pedían reparación, y que ésta estaba próxima, me hizo ver en el conflicto, no tanto sus horrores, que aún no conocía, como las esperanzas que parecía traer para el futuro. Desnudas frente a frente vi, de una parte, la sempiterna, la

---

[46] Diario *El Sol*, 19 abril 1936, p. 4.
[47] P. Silver. *Op. cit.*, pp. 25-26.
[48] Federico García Lorca. Trabajo leído en el homenaje y recogido en el diario *El Sol*, 21 abril 1936, p. 3. Reproducido más tarde en la revista *Cántico*, 9-10-1955, pp. 5-6, y en Federico García Lorca, *Obras completas*. Aguilar, 1954, pp. 48-50.

inmortal reacción española, viviendo siempre entre ignorancia, superstición e intolerancia, en una edad media suya propia; y, de otra (yo en pleno *wishful thinking*), las fuerzas de una España joven cuya oportunidad parecía llegada. Luego me sorprendería, no sólo la suerte de salir indemne de aquella matanza, sino la ignorancia completa de ella en que estuve, aunque ocurriera en torno mío» [49].

El invierno de 1936-37 lo pasa en Madrid, leyendo a Leopardi y el *Stello,* de Vigny, mientras llegaba de la Universitaria el eco de las ametralladoras, filtrándose a través de las ventanas cerradas. Compone por entonces los primeros poemas de *Las nubes,* tituladas inicialmente «Elegías españolas», reduciendo el tono ditirámbico y usando con preferencia una combinación básica de endecasílabos y heptasílabos. Colabora activamente en la revista *Hora de España,* haciendo hincapié en su fe republicana. (En 1961, muchos años después, con ocasión del encuentro fortuito en Estados Unidos con un excombatiente de la brigada «Lincoln», escribe:

> *Por eso otra vez hoy la causa te parece*
> *Como en aquellos días;*
> *Noble y tan digna de luchar por ella* [50].)

Viaja a Valencia para el segundo congreso de la Asociación Internacional de Escritores para la Defensa de la Cultura, representando en el teatro principal de aquella ciudad el papel de don Pedro, en la obra de Lorca *Mariana Pineda,* en homenaje a su autor recién asesinado. En Valencia escribe la «Elegía», en honor también del poeta de Granada.

---

[49] Luis Cernuda. *Poesía y literatura,* pp. 255-56.
[50] Luis Cernuda. *La realidad y el deseo.* Fondo de Cultura Económica, 1964, p. 365.

De su paso por la ciudad levantina tenemos el testimonio del poeta J. Gil-Albert:

«Uno de aquellos días nos leyó, recostado en un diván, el poema a Larra que acababa de escribir; lo recitó sin énfasis, con un cierto dejo seco y, no obstante, eficaz, que dejaba más patente lo preclaro de su belleza...

»Pero no quiero dejar de referirme a lo que, y así lo sospeché en el acto, pudiera resultar un dato esencial, y es que, una mañana, camino de la Malvarrosa, me hizo partícipe de lo siguiente: el mito de la antigüedad que prefería era el de Apolo persiguiendo a la ninfa Dafne que, al ser alcanzada, se convertía en otra cosa, en laurel; al hombre se le transforma, en sus manos, todo lo que ve, lo que posee; no consigue nunca sino apresar algo distinto de aquello que anhelantemente buscó. Penetrado por el estilete de esta última intuición, el suceso clásico adquiría una fatalidad reinante que no daba pie a ninguna esperanza. Y dejo de ello testimonio por lo que de decisivo parece ofrecernos para el profundo conocimiento del hombre y del artista» [51].

Desde Valencia pasa a Barcelona, y en febrero de 1938, un amigo inglés, poeta, Stanley Richardson, le comunica que ha obtenido del gobierno de Barcelona un pasaporte para dar unas conferencias en Inglaterra. Sale en marzo de España para no regresar nunca más a ella.

Su experiencia y contacto primeros con Inglaterra, tan decisivos para su obra futura, los relata el poeta haciendo gala de esa sutil objetividad que caracteriza su escritura:

«No conocía Inglaterra, aunque fuera país que desde mi niñez me interesó, sin duda por esa atracción de

---

[51] Juan Gil-Albert. «Ficha conmemorativa». *La Caña Gris.* Otoño, 1962, pp. 26-27.

contrarios que tan necesaria es en la vida, ya que la tensión entre ellos resulta, al menos para mí, fructífera: mi sur nativo necesitaba del norte, para completarme. Londres me decepcionó al principio, esperando ver otra ciudad de encanto exterior, como París. Para gustar de Londres, como de toda Inglaterra, para sentir su encanto íntimo, hecho de tradición filtrada a través de los años, matizada por la idiosincrasia nacional, hace falta tiempo. Y eso era, precisamente, lo que yo no quería tener entonces, tiempo; movido por la nostalgia de mi tierra, sólo pensaba en volver a ella, como si presintiera que, poco a poco, me iría distanciando hasta llegar a serme indiferente volver o no. De otra parte, pocos extranjeros, sobre todo los de países meridionales, dejan de experimentar en Inglaterra cierta humillación, nacida de la inferioridad inevitable ante el dominio del inglés sobre sí mismo y sobre el contorno, ante sus maneras, naturalmente tan delicadas, que muestran, por contraste, la tosquedad, la rudeza de las nuestras. Inglaterra es el país más civilizado que conozco, aquel donde la palabra civilización alcanzó su sentido pleno. Ante esa superioridad no hay sino someterse, y aprender de ella, o irse» [52].

En julio de 1938 vuelve a París, camino de España, pero las noticias que allí le dan del curso de la guerra le obligan a no seguir viaje. Cuando dejó España llevaba unos ocho poemas nuevos. En Inglaterra había escrito unos seis más. Relee a Unamuno y Machado. Su amigo el poeta Stanley Richardson, muerto en Londres en 1940 durante los bombardeos, le avisó en septiembre de que Cranleigh School, en Surrey, le admitía como ayudante del profesor de español. Regresa a Inglaterra.

En enero de 1939 pasa a la universidad de Glasgow

---

[52] Luis Cernuda. *Poesía y literatura,* p. 258.

y de allí a la de Cambridge en 1943. La «aborrecible» experiencia de Cernuda en Escocia se vio compensada por la atracción inglesa. Su evolución sicológica se enriquece en doble vía: la del profesor que ha de encaminar y situar a sus alumnos ante la realidad de una obra literaria, y la del poeta ante un campo cultural vastísimo. El poeta ya estaba predispuesto; resume su estado de ánimo en la frase de Pascal: «No me buscarías si no me hubieras encontrado».

Aprende en los poetas ingleses a evitar dos vicios literarios llamados en inglés *pathetic fallacy* (engaño sentimental) y *purple putch* (lo superfino de la expresión). Comienza a ensayar el poema meditativo, a partir de los metafísicos.

En 1940 comienza a escribir los poemas en prosa recogidos más tarde y ampliados en sucesivas ediciones bajo el título *Ocnos.* La primera edición la publica en Londres, en *The Dolphin.* También es de 1940 la segunda edición de *La realidad y el deseo,* aumentada con una séptima serie titulada *Las nubes,* y publicada por Bergamín en la Editorial Séneca, de Méjico. Una edición pirata de *Las nubes* aparece en Buenos Aires, en 1943.

Durante uno de los períodos de vacaciones en Oxford, en el verano de 1941, comienza la serie *Como quien espera el alba,* que termina en Cambridge, en 1944.

Entre sus lecturas de esos años está la *Biblia,* algunos versículos en traducción inglesa todos los días al acostarse. Se aficiona a los libros de correspondencias: Goethe y Eckerman, Goethe y Schiller. Como lecturas básicas, además de los poetas ingleses, los críticos anglosajones: Dr. Johnson, Coleridge, Arnold, Eliot.

El poeta Leopoldo Panero, que lo visitó en Londres en 1940, relata:

«Vivía Luis Cernuda en Londres en una habitación

quimérica y minúscula, cuidadosamente tenida y silenciosamente habitada, cuya ventana se abría a nivel de los árboles de Hyde Park, dejando ver sólo sus altas copas estremecidas y flotantes, de un verde denso, fresco y altivo, nimbado de libertad en medio de las calles oscuras, y llenando con su presencia resbalada y aérea la reducida estancia del poeta sevillano. Aquellos pocos árboles —tan hermosos, tan libres, tan naturalmente nobles y bellos—, y alguna escapada solitaria y ocasional hacia el mar, en un rincón apartado y medio salvaje del Cornualles céltico, eran lo único que Cernuda convivía y amaba» [53].

De 1943 a 1945 vive en Emmanuele College. Quienes conozcan los colegios de Cambridge y Oxford —comenta—, saben de su encanto.

En 1945 marcha a Londres a desempeñar en el Instituto Español un trabajo de profesor equivalente al de Cambridge. Durante su estancia en Londres aporta más poemas a la nueva serie *Vivir sin estar viviendo*. Traduce *Troilus and Cressida*, de Shakespeare. Lee a Kierkegaard y escucha música: conciertos semanales de cámara dedicados a Mozart.

«Porque Mozart es el artista a quien debo haber gozado del más puro deleite; y al escribir eso recuerdo cómo algunos discuten acerca de que el arte debe 'compromerterse', ser útil. No conozco obra de arte comprometida que me haya servido tanto, ni mejor, en su pureza irreductible, como la de Mozart.»

Esta pasión por la música le viene desde sus años jóvenes, asistiendo a los conciertos en el Coliseum de Sevilla, según evoca en *Ocnos,* calificando a este arte como *pure délice sans chemin.*

---

[53] Leopoldo Panero. «Ocnos, o la nostalgia contemplativa», *Cuadernos Hispanoamericanos,* núm. 10 (julio-agosto, 1949). p. 184.

4

En los poemas, cultiva el encabalgamiento, el monólogo dramático. Desecha la rima.

En marzo de 1947 recibe carta de su amiga Concha Albornoz desde Mount Holyoke College, Massachusetts, USA. Le ofrece allí un puesto de trabajo.

Después de largas y complicadas gestiones sale de Southampton el 10 de septiembre. Nervioso en la incertidumbre de una América inminente —«¿Cómo serán los árboles aquellos?»—, aún le queda un punto de serenidad para mirar hacia atrás:

«Aquellos momentos nocturnos en Southampton, antes de la partida, bastaron para que recorriese, en un trance agónico, como se dice que ocurre a los moribundos, toda una fase de mi vida» [54].

Arriba a Nueva York. El espectáculo, las tiendas de la gran ciudad hacen que América se le aparezca como país de Jauja. Su trabajo en el College será pagado por primera vez en su vida de manera decorosa y suficiente.

En noviembre recibe los primeros ejemplares del libro *Como quien espera el alba,* editados en Buenos Aires. Le reconforta la reacción paulatinamente favorable del público. Se asombra de su capacidad de continuidad en medio del desierto literario:

«La poesía, al creerme poeta, ha sido mi fuerza, y aunque me haya equivocado en esa creencia, ya no importa, pues a mi error he debido tantos momentos gozosos» [55].

Comienza por entonces una nueva serie de poemas: *Con las horas contadas,* y viaja a Méjico por vez primera en el verano de 1949. Desde ese contacto con el país latino, la vida en el norte se le hace enojosa. Su

[54] Luis Cernuda. *Poesía y Literatura,* p. 270.
[55] *Ibid,* p. 272.

reencuentro con el bullicio y la indolencia le incitan a escribir *Variaciones sobre tema mejicano.*

En el verano de 1951, en Méjico, Cernuda se enamora de nuevo, ocasión de la breve serie de poemas, *Poemas para un cuerpo.* Tiene cuarenta y nueve años. Lúcido ante el posible ridículo de la situación, no por eso se echa atrás y como en el tiempo de *Donde habite el olvido,* se entrega a su pasión, desesperada pero absorbente:

«Hay momentos en la vida que requieren de nosotros la entrega al destino, total y sin reservas, el salto al vacío, confiando en lo posible para no rompernos la cabeza» [56].

El amor, amenazado de extinción, muere. Regresa a Norteamérica otra vez, pasando por Cuba. La existencia en Mount Holyoke se le hace ahora insoportable: los largos meses de invierno, la nieve. Lee *Die Fragmente der Vorsokratiker,* de Diels.

Después de las vacaciones de 1952 decide abandonar su puesto en Mount Holyoke College:

«Como poseído por un demonio, no vacilé en tirar a un lado trabajo digno, posición decorosa y sueldo suficiente, para no hablar de la residencia en país amable y acogedor, donde la vida ofrece un máximo de comodidad y conveniencia. Pero el amor tiraba de mí hacia Méjico» [57].

El amor, y su constante reaccionar contra el medio en el que se halla, le llevan a Méjico. Con todo:

«Yo no me hice, y sólo he tratado, como todo hombre, de hallar mi verdad, la mía, que no será menor ni peor que la de los otros, sino sólo diferente» [58].

Desde 1956 a 1960, año en que regresa a USA, contratado por la universidad de California para dar los

---

[56] *Ibid,* p. 273.
[57] *Ibid,* p. 277.
[58] *Ibid,* pp. 278-9.

cursos de verano, se interrumpe su actividad poética. Da clases durante una temporada en la universidad de Méjico. Escribe breves ensayos críticos y el libro *Tres narraciones*.

Carlos P. Otero, agente valedor ante la universidad de California, es quien mejor ha descrito y con la documentación epistolar pertinente, esta última etapa del poeta. La soledad, la desesperación sin salida, progresivamente se acentúan.

El 16 de junio de 1960 llega a California, al viejo aeropuerto internacional. En carta del 12 de noviembre de 1959 aparece su deseo de volver a las universidades americanas del norte, carta en la que recuerda que no tiene el título de doctor, casi indispensable, para ejercer allí la docencia, pero que, en cambio, posee otros, menos altisonantes y nada oficiales, como los de aficionado a la literatura y la poesía. El 23 de noviembre, en otra carta, corrige su pesimismo y dice que en todos los sitios donde fue profesor, se marchó por su voluntad, señal de que su docencia tiene alguna eficacia.

Como contrapunto a la placidez en la ciudad marina y soleada de Los Angeles, recibe, vía Aleixandre, la noticia de que su segunda hermana ha muerto.

El 20 de septiembre confiesa recatadamente a Carlos P. Otero, inmerso en soledad:

«Mañana, veintiuno de septiembre, cumplo (¡ay! cincuenta y ocho años. Pienso ir al bar de Sanborns, en el paseo de la Reforma, a beber, ya que no puedo un Ginlet, algún *dry martini,* acompañado de mí mismo. Me duele ser ahora el único (muertas este año mis dos hermanas) a sostener el peso de los recuerdos familiares» [59].

Nacen en Los Angeles los primeros poemas de la

[59] Carlos P. Otero. «Cernuda en California», *Insula*, febrero, 1964, p. 14.

undécima y última serie que escribiera, agrupada bajo la denominación: *Desolación de la quimera*. Le gusta, durante su estancia en la ciudad, irse a un restaurant de Málibu, Sea Lyon. Dedicará a aquel lugar un delicioso divertimento. Sus poemas crecen desde el esbozo a la composición ultimada con gran tensión y rapidez creadoras; con gran contención y control.

En febrero de 1961 le contrata el San Francisco State College. Esta ciudad no le agrada. El parque Golden Gate, le resulta fúnebre, y el clima «franciscano».

«Ya me figuro que escribir algunos versos sería el exorcismo mejor contra mis demonios y depresión, pero... no tengo ganas» [60].

Accede entonces a leer por dos veces, cosa inusitada en él, sus versos en público: en el Poetry Center de San Francisco, el 5 de diciembre; y en la universidad de California, en Berkeley, el 15. Con éxito. Los estudiantes le saludan en el *campus*. Se siente fortalecido.

Después de pasar el verano de 1961 en Méjico, vuelve a California por tercera vez. Alquila un apartamento en Ocean Avenue, la avenida marina. Cumple los sesenta años, que celebra en el exótico restaurant Tonga Lei, de Málibu.

En la etapa final de su vida, su carácter se torna aún más agrio. Está nervioso y le incomodan asuntos editoriales de su libro *Ocnos*. No sabe cuándo estará lista la edición, dado que no le escriben, y le tienen —dice— con la espada de Dámocles sobre él respecto a la cubierta que no le dejan ver. Sus recuerdos de Los Angeles se refieren a «ese nido de envidiosos y chismosos».

La última carta a Carlos P. Otero lleva fecha del 1 de noviembre de 1963, cuatro días antes de morir.

Los once últimos años de vida, salvo sus permanencias en USA, vivía en casa de Concha Méndez, esposa

---

[60] *Ibid,* p. 14.

de Manuel Altolaguirre. Tenía una habitación para él.

En junio de 1963 había firmado un nuevo contrato con la universidad de Los Angeles, pero, inexplicablemente, en septiembre lo anuló y se quedó en Méjico.

Murió el cinco de noviembre. Concha Méndez relata los detalles:

«En los últimos días fue su actuación como la de alguien que estuviera dominado por un presentimiento; no parecía el mismo; recordaba con emoción a sus familiares, nos mostraba retratos, estaba afable, comunicativo. Y fue en casa de mi hija, en la sobremesa de un lunes cuatro de noviembre, donde nos hablamos por última vez. Le vimos levantarse de la mesa como todos los días y dirigirse por el jardín hacia mi casa, en donde se encerraba en su habitación por el resto de la jornada. Debían ser sobre las seis de la mañana del día siguiente, cinco de noviembre —hora de Méjico—, cuando la muerte le sorprendió en la puerta de **su cuarto de baño**, en ropas de cama, batín y zapatillas, intentando fumar, con la pipa en una mano y las cerillas en la otra. Así lo encontró Paloma unas dos horas más tarde.

Tendido ya sobre el lecho, y como despedida, puse mi mano en su frente. La impresión de todo esto es algo indescriptible. A los niños se les ha dicho que tuvo que irse a Veracruz a dar unas conferencias; las criaturas se obstinan en que volverá estas Navidades» [61].

---

[61] Concha Méndez. «Luis Cernuda». *Insula,* febrero, 1964. p. 13.

Al final del acta de inscripción de nacimiento se lee:

«NOTA.—En la página 14 del tomo 6 de Registro Civil del Consulado de España en Méjico, D. F. consta inscrita la defunción de Luis Cernuda y Bidón, ocurrida el día cinco de noviembre de mil novecientos sesenta y seis (sic). A cinco octubre 1964.»

Hay error en el año; es sesenta y tres en lugar de sesenta y seis.

II. FORMACION POETICA.
LA SOMBRA DE JORGE GUILLEN
EN «PERFIL DEL AIRE».
OTRAS INFLUENCIAS

Ambiente poético de los años veinte

Los años veinte presencian en España una confluencia rica de varias corrientes poéticas. En primer término, cual faro luminoso y señero, está la figura culminante de Juan Ramón Jiménez, heredero del modernismo de Rubén, de los simbolistas franceses y del impresionismo sentimental de su primera época. Juan Ramón es sin duda el maestro de los jóvenes del 27 (o 25, para ser fieles a Cernuda), que toman de él la nota simbolista.

Asimismo, en 1918 aparecen dos movimientos afines a las técnicas cubistas y futuristas. Son el ultraísmo y el creacionismo, que prenden en Larrea y Gerardo Diego, destacadamente. Exaltan el dinamismo tecnológico moderno, defienden la libre disposición tipográfica de Apollinaire y los futuristas, su fe se centra en la supremacía de la imagen y proclaman como dogma la total autonomía del poema.

Con este fondo simbolista y vanguardista aparecen los primeros libros de la generación: *Libro de poemas,* de Lorca, en 1921; *Imagen,* de Gerardo Diego, en 1922; *Presagios,* de Pedro Salinas, en 1923; *Marinero en tierra,* de Alberti, en 1924; *Tiempo,* de Emilio Prados, en 1925; *Las islas invitadas,* de Altolaguirre, en 1926; *Ambito,* de Aleixandre, y *Cántico,* de Guillén, en 1928. Entre estas dos fechas, *Perfil del aire,* de Cernuda, en 1927.

Va creciendo el número de las revistas dedicadas a la nueva poesía: *Alfar, Revista de Occidente, Mediodía, La Verdad (Verso y prosa), Litoral, Papel de Aleluyas, Carmen.*

Más que un denominador común en la obra primera de los poetas del 27, se hace preciso determinar las ideas estéticas en boga. Las dos fundamentales son, sin duda, «la poesía pura» y «la deshumanización del arte».

El concepto de poesía pura es el que deja huella más marcada en toda la generación. Las teorías postsimbolistas de Valéry levantan entusiasmo en España, potenciadas por la influencia de la poesía desnuda de Juan Ramón.

Como se sabe, el padre de la poesía pura es Valéry. Para Valéry la poesía pura es el término de una tradición que comenzaba en Baudelaire y que perseguía a la poesía misma, en busca de la posesión cada vez más íntima, más precisa, de todos los medios del arte cuyo objeto, o si se quiere cuyo fin, está en relación muy estrecha con sus medios. De ahí la definición del propio Valéry cuando habla de *cette hésitation prolongée entre le son et le sens* [1]. Tal definición es exacta. Predica que los medios deben fundirse con los fines del poeta, de modo que los caracteres sensibles del lenguaje, sonido y ritmo, dominen sobre los valores significativos, haciendo que aquéllos constituyan el fondo mismo del poema.

Jorge Guillén es, a este respecto, el poeta español más cercano a Valéry. En su «Carta a Fernando Vela

---

[1] *Rhumbs* (1926). Citamos según D. Harris, *Perfil del aire...* Londres, 1971, p. 16, quien recoge la cita de *Tel Quel II* (París, 1948), p. 79.

sobre la poesía pura», publicada en la revista de Murcia *Verso y Prosa,* en febrero de 1927 contesta a un artículo de Vela en *La Revista de Occidente,* referido a la famosa polémica que en Francia libraban Valéry *versus* Brémond. Guillén declara que, para equívocos, mejor hablar de «poesía simple», o «poesía poética». Opta por «una poesía bastante pura *ma non troppo»...,* «una poesía compuesta, compleja, por el poema con poesía y otras cosas humanas.» Para Guillén los fines sentimentales, ideológicos, morales, son los que adulteran la deseable pureza poética. Como ejemplo de poesía pura cita Guillén el creacionismo de Gerardo Diego.

Cernuda, muchos años más tarde, precisará mejor el concepto:

«Hay, en efecto, en aquella entonces nueva generación, al menos durante los años inmediatos a sus primeras publicaciones, una afición decidida hacia las cualidades retóricas del verso. Este es uno de los sentidos menos equívocos en que puede tomarse aquella equívoca frase de "poesía pura", que por esos días nos tradujeron del francés» [2].

En sus declaraciones sobre poesía pura, Guillén distingue igualmente entre elementos humanos e inhumanos. Se acerca así al concepto orteguiano de «arte deshumanizado». Como es bien sabido, Ortega ve en las tendencias vanguardistas posteriores a la primera guerra mundial el rechazo de los elementos humanos del arte realista y la estricta fruición estética de la obra. Arte intrascendente, irónico, lúdico. La poesía es culto a la metáfora. Ortega cita como ejemplo el ultraísmo. Se afirma la relación estética entre vanguardismo

---

[2] Luis Cernuda: «Antonio Machado y la actual generación de poetas», en *Crítica, ensayos y evocaciones.* Barcelona, Seix y Barral, 1970, pp. 168-69. Publicado por vez primera en *Bulletin of Spanish Studies.* Liverpool, England, núm. 67, julio de 1940.

y pureza, entre vanguardismo y artificio metafórico. La palabra «deshumanización» no abarca el amplio contenido del arte del momento. Sirve sólo como contraste con el realismo.

Un hecho decisivo viene a dar patente de corso a esta doble concepción estética: el tricentenario de Góngora. Más que influencia del cordobés, se le esgrime como ejemplo; es el arquetipo persiguiendo la belleza pura en el artificio verbal y en el culto a la metáfora. Lorca, en una conferencia titulada «La imagen poética de don Luis de Góngora»[3], le llama «el padre de la lírica moderna», que amaba la belleza objetiva, pura e inútil, exenta de congojas comunicables. En el mismo año, 1927, decía Dámaso Alonso:

«Erraron la puntería los que afearon a las *Soledades* el no tener interés novelesco. Era precisamente lo que no debían, no podían tener. Es éste uno de los mayores aciertos de Góngora y uno de los que más le aproximan al gusto de nuestros días... A menor interés novelesco, mayor ámbito para los puros goces de la belleza»[4].

Formación poética de Cernuda

Cernuda crece en un ambiente burgués de comienzos de siglo, agravado por la rigidez castrense de su padre. Al no haber comunicación familiar, el niño desarrolla en solitario por reacción la necesidad síquica de libertad. José María Capote, en su libro *El período sevillano de Luis Cernuda,* alude a la infancia y juven-

---

[3] Federico García Lorca: «La imagen poética de don Luis de Góngora». Revista *Residencia*. Madrid, 12 de noviembre de 1932.

[4] Dámaso Alonso. «Una generación poética (1920-1936), en *Poetas españoles contemporáneos*. Madrid, 1952, p. 177.

tud de André Gide, como desenvolvimiento paralelo. Quizá haya que matizar; en Gide el descubrimiento de una segunda realidad es producto mental, consecuencia lógica. En Cernuda tal descubrimiento tiene carácter síquico-intuitivo, es una finísima sensibilidad a flor de piel quien detecta esa segunda realidad, tan distinta del orden vulgar. Gide escribe: «Tengo las ideas embarulladas y pienso, antes de sumirme en el sueño, confusamente; hay la realidad y hay los sueños y hay una segunda realidad.» Cernuda escribe: «Entreví entonces la existencia de una realidad diferente a la percibida a diario, y ya oscuramente sentía cómo no bastaba a esa otra realidad el ser diferente, sino que algo alado y divino debía acompañarla y aureolarla, tal el nimbo trémulo que rodea un punto luminoso» [5]. Gide dice que tiene las ideas embarulladas; Cernuda utiliza los verbos «entreví», «sentí».

En otros poemas de *Ocnos* nos habla Cernuda de esa fecunda soledad que ilumina la realidad segunda, a la que el ansia de libertad, desdoblada en deseo, tiende [6].

El primer contacto con la poesía tiene lugar a sus nueve años. Bécquer, como antes se ha dicho, es la ocasión próxima. Sus restos son trasladados aquel 1911 a Sevilla y las primas del niño le prestan un tomo con sus obras.

«Algo debió quedar en la subconsciencia, para algún día, más tarde, salir a flor de ella» [7].

Qué cosa sea y cómo esa segunda realidad de que habla se va perfilando conforme el poeta entra en la adolescencia, así como la progresiva percepción del

---

[5] Luis Cernuda. «La poesía». *Ocnos.* Méjico, 1963. 3.ª edición, pp. 9-10.

[6] Luis Cernuda. «El piano», *Ocnos,* id. id., pp. 15-16. También «El tiempo», id. id., pp. 29-31.

[7] Luis Cernuda. *Poesía y literatura,* pp. 233-234.

dualismo de la parte subjetiva y de la parte objetiva del mundo y, lo que es más decisivo, el divorcio trágico entre realidad y deseo, lo expone con lucidez en «Palabras antes de una lectura», de 1935:

«El instinto poético se despertó en mí gracias a la percepción más aguda de la realidad, experimentando, con un eco más hondo, la hermosura y la atracción del mundo circundante. Su efecto era, como en cierto modo ocurre con el deseo que provoca el amor, la exigencia, dolorosa a fuerza de intensidad, de salir de mí mismo, anegándome en aquel vasto cuerpo de la creación. Y lo que hacía aún más agónico aquel deseo era el reconocimiento tácito de su imposible satisfacción.

»A partir de entonces comencé a distinguir una corriente simultánea y opuesta dentro de mí: hacia la realidad y contra la realidad de atracción y de hostilidad hacia lo real. El deseo me llevaba hacia la realidad que se ofrecía ante mis ojos como si sólo con su posesión pudiera alcanzar certeza de mi propia vida. Mas como esta posesión jamás la he alcanzado sino de modo precario, de ahí la corriente contraria de hostilidad ante el irónico atractivo de la realidad. Puesto que, según parece, esa o parecida ha sido también la experiencia de algunos filósofos y poetas que admiro, con ellos concluyo que la realidad exterior es un espejismo, y lo único cierto mi propio deseo de poseerla. Así, pues, la esencia del problema poético, a mi entender, la constituye el conflicto entre realidad y deseo, entre apariencia y verdad, permitiéndonos alcanzar alguna vislumbre de la imagen completa del mundo que ignoramos, de la "idea divina del mundo que yace al fondo de la apariencia", según frase de Fichte»[8].

Esta experiencia preliminar es lo que Cernuda estima como móvil de la actividad poética.

---

[8] *Ibid*, pp. 196-97.

El segundo contacto con la poesía, al cual ya hemos hecho referencia lo recibe en el bachillerato, referido al aspecto técnico-formal. Su maestro de retórica, don Antonio López, le manda escribir una décima. Le da el consejo de que en toda composición literaria debe estar presente el asidero plástico. Precioso consejo que Cernuda nunca ha olvidado.

Otro aspecto fundamental, asimismo señalado en la biografía que antecede, para su formación, son los viejos libros de viajes con estampas y grabados de países exóticos, tomos en folio de encuadernación rojo y oro, por cuyas páginas el muchacho solitario se ahondaba en los dibujos con encanto indecible, «Memorias de ultratumba de Chateaubriand»... [9-10].

La percepción más aguda de la realidad tiene en el primer Cernuda el sentido de una experiencia de las cosas y del mundo como si se los contemplara por vez primera. Sensaciones de lo inusitado están descritas con detalle en algunos poemas en prosa de *Ocnos,* donde el poeta maduro evoca y recuerda la atmósfera de su infancia en acecho con una técnica eficaz. Así, en uno de esos poemas, «La poesía», relata la diferente percepción que el sonido de un piano provocó en él, revelándole la existencia de una segunda realidad mágica que consuela de la vida. O «Mañanas de verano», donde un aire limpio, como no respirado por otros todavía, embargaba el alma del niño y despertaba en él un gozo callado, desinteresado, hondo:

«Parecía como si sus sentidos, y a través de ellos su cuerpo, fueran instrumento tenso y propicio para que el mundo pulsara su melodía rara vez percibida» [11].

Otro poema en prosa, «Belleza oculta», es expresión acabada de esta percepción: al trasladarse de casa

---

[9] Luis Cernuda. «La riada», *Ocnos.* pp. 72-73.
[10] *Ibid.* «El viaje», pp. 75-79.
[11] *Ibid.* «Mañanas de verano», p. 41.

—mudanza de la calle Acetres a los pabellones militares— experimenta, en su habitación de la casa nueva, la sensación de una mirada primera sobre el mundo:

«Apoyado sobre el quicio de la ventana, nostálgico sin saber por qué, miró al campo largo rato.

»Como en una intuición, más que en una percepción, por primera vez en su vida adivinó la hermosura de todo aquello que sus ojos contemplaban. Y con la visión de esa hermosura oculta se deslizaba agudamente en su alma, clavándose en ella, un sentimiento de soledad hasta entonces para él desconocido» [12].

En el umbral de la adolescencia, tal intuición primera de la belleza, aunada al descubrimiento del sentimiento de soledad o conciencia de la separación del mundo, son concomitancias causales en el nacimiento de su instinto poético. Tal nacimiento le lleva a una conciencia más aguda, primero, de la identidad subjetiva, y segundo, del divorcio entre realidad externa y deseo interior.

Asimismo, otro motivo concomitante en el hacerse del poeta es la relación existente entre la creación poética y el despertar de la sexualidad. Es el propio Cernuda quien lo indica, diciendo que a los catorce años hizo la tentativa de escribir versos, y que conviene señalar la coincidencia con el despertar de la sexualidad púber.

En el poema «El enamorado», de *Ocnos,* recuerda la experiencia:

«Sentado entre los suyos, como tú entre los tuyos, no lejos de ti le descubriste, para suscitar con su presencia, desde el fondo de tu ser, esa atracción ineludible, gozosa y dolorosa, por la cual el hombre, identificado más que nunca consigo mismo, deja también de pertenecerse a sí mismo.

»Un pudor extraño, defensa quizá de la personali-

---

[12] *Ibid.* «Belleza oculta», pp. 47-48.

dad a riesgo de enajenarse, tiraba hacia dentro de tí, mientras una simpatía instintiva tiraba hacia fuera de ti, hacia aquella criatura con la que no sabías cómo deseabas confundirte.

»No fue esa la primera vez que te enamoraste, aunque sí fue acaso la primera en que el sentimiento todavía sin nombre, urgió sobre tu conciencia...

»Aquella noche prendió en ti sólo una chispa del fuego en el cual más tarde debías consumirte, para renacer igual que el fénix. Mas a su fulgor entreviste ya la hermosura del cuerpo juvenil, casi sin saber desearlo todavía...

»Otros podrán hablar de cómo se marchita y decae la hermosura corporal, pero tú sólo deseas recordar su esplendor primero, y no obstante la melancolía con que acaba, nunca quedará por ella oscurecido su momento. Algunos creyeron que la hermosura, por serlo, es eterna (*Como dal fuoco il caldo, esser diviso / Non può'l bel dall'eterno*), y aun cuando no lo sea, tal en una corriente el remanso nutrido por idéntica agua fugitiva, ella y su contemplación son lo único que parece arrancarnos al tiempo durante un instante desmesurado» [13].

Deseo en forma de atracción ineludible, identificación consigo mismo, concreción en la hermosura del cuerpo de la descrita percepción de la hermosura del mundo como realidad segunda, ansia de pervivencia para esa hermosura corporal, ¿qué es el despertar sensual y sexual sino una forma del genérico conflicto realidad-deseo? Y en otro despliegue de la dicotomía, el contraste trágico entre atracción y timidez enfermiza, el miedo del poeta.

J. M. Capote señala que la afirmación por la belleza corporal y el ver la carga de sensualidad de la naturaleza se la enseñaron los mitos griegos. Se hace preciso

---

[13] *Ibid.* «El enamorado», pp. 79-81.

establecer un matiz. Aunque Cernuda dice en su poema en prosa «El poeta y los mitos», de *Ocnos,* que desde la lectura de la mitología supo ver y admirar la belleza de los cuerpos, tales palabras han de entenderse como descubrimiento de las formas en las que su radical ansiedad se concretaría. No es que aprenda en los mitos, sino que descubre a través de los mitos.

Hacia los veintiuno o veintidós años, durante una gira a caballo, mientras hacia el servicio militar, tiene otra experiencia idéntica a las anteriores. Al aparecérsele las cosas como si las viera por vez primera, nace en él la urgencia expresiva.

Según hemos visto en la biografía, entra en la universidad en contacto con Salinas, comienza a leer a los clásicos: Garcilaso, Fray Luis, Lope, Góngora, Quevedo, Calderón (en la relación de libros de su biblioteca de entonces, hecha por su hermana Amparo para usos privados y publicada por J. M. Capote [14], figuran: *Páginas escogidas,* de Quevedo; *Teatro,* de Lope de Vega; *Teatro,* de Calderón, suponiéndose que se llevó consigo a Madrid otros), y asimismo entra en contacto con Baudelaire, Mallarmé, Rimbaud, Pierre Reverdy. Y, sobre todo, Gide. No lee a los clásicos por desconocimiento de las lenguas. De filosofía, Schopenhauer y Nietzsche.

De tales lecturas aprendería Cernuda el manejo del verso clásico español, de que da muestras en *Perfil del aire,* la técnica metafórica de Góngora, el respeto a las propias tendencias en Gide y la necesidad de llevar dichas tendencias a sus últimas consencuencias, en Nietzsche.

Resumiendo: soledad y necesidad sicológica de libertad, en la más tierna infancia. Intuición de la existencia de una realidad segunda y Bécquer, en la niñez. Asi-

---

[14] José María Capote. *El período sevillano de Luis Cernuda.* Gredos. Madrid, 1971, pp. 151-160.

mismo, evasión hacia viajes imaginarios. En el umbral de la adolescencia, descubrimiento del instinto poético, a través del dualismo y contradicción de la parte subjetiva y objetiva del mundo. Atracción del cuerpo hermoso. Y en la juventud, prolongación de lo anterior interpretándolo desde un ángulo cultural.

Jorge Guillén y «Perfil del aire»

Para el estudio de las influencias de Guillén —caballo de batalla de los desaprensivos críticos de la primera edición de *Perfil del aire,* y obsesión jamás olvidada por Cernuda, llegando al punto de marcar en su carácter una huella de amargura— se hace preciso atender a todos los ángulos, siendo nada despreciable el del supuesto influyente, en este caso Guillén. En conversación privada mantenida en la primavera de 1966, en su apartamento del Paseo Marítimo de Málaga, Guillén, con exquisita deferencia, nos comunicó sus puntos de vista que no eran otros que los que en cartas al propio Cernuda había transmitido, cuando tales críticas tuvieron lugar, en 1927. Aun siendo instado, nos confesó, por otros compañeros de generación, a que declarara en su propio favor, y aunque Cernuda, a partir de la guerra civil y el exilio, se manifestó con Guillén en actitud distante, Guillén siguió considerando el tema con la ecuanimidad con la que lo vio al principio.

La desesperación de Cernuda, al ver su primer libro anonadado bajo el peso de la sólida obra guilleniana, llegó a su cenit en el «ejemplar» diálogo: «El crítico, el amigo y el poeta», publicado en 1948. Diálogo evidentemente falso, en el que utiliza argumentos desplazados de su originaria verdad. Como es sabido, el diálogo lo monta así:

Un tal A. del Arroyo (Angel del Río) prepara una historia de la poesía española. Para aclarar el pormenor de la influencia de Guillén en Cernuda visita a un amigo de Cernuda (Cernuda mismo). Plantea la argumentación a dos niveles. Primero en la influencia de libro a libro. Segundo, analizando la índole de las composiciones desde la métrica.

En cuanto a lo primero argumenta negando que Cernuda haya escrito *Perfil del aire* inspirado por Guillén, dado que este libro se publicó en 1927, mientras que la primera edición de *Cántico* es de 1928. Sólo a base de poemas publicados en revistas sería posible la influencia. Entonces, dado que *Perfil del aire* tiene unidad de tono y expresión, y, por tanto, que sus primeros versos son —escritos en 1924— iguales al resto, la influencia sobre ese tono y expresión debería ser de poemas publicados en revistas, por Guillén, antes de 1924. Y el posible parecido lo es por recibir ambos influencia de Mallarmé; Guillén indirectamente a través de Valéry.

Tal argumento es verdadero sólo a medias. Se sabe que Cernuda escribe sus poemas de *Perfil del aire* hasta 1927, y son esos tres años testigos de la abundante obra publicada de Guillén, recogida después en *Cántico,* y lo que es más decisivo, es en ese tiempo cuando Guillén adquiere su incontestable fama de poeta singular. Y en lo que dice en cuanto a la relación a la unidad de tono y expresión, si bien es verdad que Cernuda, desde su primer poema, muestra una personalidad individual intransferible, también es no menos verdad que, por las influencias que veremos a continuación, ese hilo personal conductor se enriquece y despliega desde incitaciones de otros orbes poéticos. Y que son intencionadamente falsos tales argumentos se demuestra con testimonios anteriores del propio Cernuda. Así, su dedicatoria a Guillén del último poema de *Perfil del aire.* Así, el apunte publicado en *La Verdad,* número 59 (octubre, 1926) dentro de los textos titulados «Anotaciones», que dice:

> *Del cristal, a un lado, el cielo.*
> *Al otro la estancia. ¿Quién*
> *sueña en el sillón su vuelo?*
> *El cantor: Jorge Guillén.*

El conocimiento de Guillén, servido por Salinas, data de mucho antes de la publicación de *Perfil del aire.* Como testimonio definitivo, además del anterior, están las cartas que Jorge Guillén ha cedido para su publicación a Derek Harris, y donde puede leerse:

«... Recojo esa preciosa amistad que me brinda, aunque mi respeto y mi afecto por usted no son de ahora: comenzaron al comenzar yo a buscar y a leer con apasionada atención, en páginas de revistas, sus versos y su prosa: su poesía. Soy, por tanto, un discípulo suyo; no hago más que adelantarme a lo que otros poetas jóvenes harán, sin duda, gracias al espléndido ejemplo que usted nos va dando» [15].

O en otra carta, dirigida a Guillén por Cernuda desde Sevilla, el 18 de junio de 1927:

«Por eso es tan cierto lo que dice Bergamín en un reciente artículo; el libro que usted publique será, ciertamente, capital y único. Esto es lo que no comprenden, ni comprenderán nunca esos periodistas que se extrañan de que usted ejerza influencia sin haber publicado ningún libro [16].

En otra carta, dirigida desde Toulouse, el 30 de diciembre de 1928, dice:

---

[15] Carta del 2-12-26 de Cernuda a Guillén. Publicada por Derek Harris, *op. cit.,* p. 195.
[16] *Ibid,* pp. 196-7.

«Aquellos poemas, leídos, queridos, soñados por mí tanto y tanto, están, al fin, unidos en volumen: en edición tan definitiva como el rigorosísimo rigor que usted permita...» [17].

En el «ejemplar» diálogo [18] antecitado, se introduce inmediatamente la cuestión de las décimas de Cernuda que le hacen parecerse tanto a Guillén. A lo que el amigo (Cernuda) responde que la décima tiene larga tradición española, y que Cernuda emplea la décima clásica (recuérdese aquel primer poema escolar, décima clásica, que el preceptista de bachilleres le mandó hacer, y por lo que le recompensó colocándole el primero de clase), mientras que Guillén —dice— utiliza una adaptación de metro proveniente de Valéry en sus poemas «Aurore» y «Palme», que es sólo semejante a la décima.

De las catorce décimas guillenianas publicadas antes de la aparición de *Perfil del aire,* seis son clásicas como las de Cernuda: «Luz sobre el monte», y «Profunda velocidad», publicadas en *La Verdad,* número 56, julio de 1926; «Bella adrede» y «Yo, quieto, seré quien vea», publicadas en *Litoral,* número 1 (noviembre de 1926); «La cabeza», publicada en *España,* número 401 (22-XII-23); «Beato sillón», publicado en *Revista de Occidente,* XXIII, 1926, p. 200.

Y las que se ajustan a la fórmula heterodoxa: *ababccdeed,* son las ocho siguientes: «Pasmo del amante» y «Ahora», publicadas en la *Revista de Occidente,* XXIII, 1926, página 21; «La rosa», publicada en *Litoral,* I, 1926; «Presencia de la luz», publicada en *La Verdad,* número 56, 18 de julio de 1926; «Panorama», en *Verso y Prosa,* I, 1927; «El querer», publicada en *España,* 401, 1923, p. 7; «El ruiseñor», publicada

[17] *Ibid,* pp. 197-8.
[18] Luis Cernuda. «El Crítico, el Amigo y el Poeta», *Poesía y literatura,* pp. 207-229.

en la revista *Ley,* 1, 1927; y «Estatua ecuestre», publicada en *La Verdad,* 30 de marzo de 1924.

Consultando el catálogo que la hermana de Cernuda confeccionó de los libros y revistas propiedad del poeta, que dejó en Sevilla, y aun sin presumir que se llevara consigo las publicaciones más queridas, observamos que las existencias de las revistas antes mencionadas son:

Revista de Occidente: 31 números.
Litoral: 5 números.
Meseta: 4 números.
Verso y Prosa: 10 números.

De lo que se deduce que conocía esos poemas de Guillén nada más ser publicados.

Por otra parte, la décima era metro antonomásico de Guillén, y que muy bien se ceñía a los intereses temáticos del poeta. No así en Cernuda, que ha de violentarla para adaptarla a su personalidad de melancolía adolescente, bien que con ágil maestría.

Como es sabido, la afinidad aparece no sólo en las décimas. Tenemos las cuartetas. Guillén usa con frecuencia cuartetas heptasílabas (grupos de cinco), aunque, como ha escrito E. Müller, en Guillén adoptan la fórmula *abba* o *abab,* mientras que Cernuda utiliza la más tradicional *abcb,* que se encuentra en Juan Ramón [19].

En la forma, algo que salta a la vista en Guillén es el uso de interrogación y exclamación. O el juego combinado de ambas. Es propio de la lírica de los años veinte. Sus fuentes no son en exclusiva R. Darío y Juan Ramón. Recuérdese el «Dónde huir», mallarmeano.

Es además importante destacar el nuevo sentido, respecto a Darío. En él la interrogación y exclamación

---

[19] E. Müller. *Die Dichtung Luis Cernudas,* p. 104.

intentan potenciar lo simbólico en una dimensión abstracta a la vez que sensóreo-sentimental, mientras que en Guillén son palancas que potencian su invasión en lo real, niveles elevadores y amplificadores de su conciencia, en orden a conectar con su terso cosmos. En Cernuda interrogación y exclamación son grises, desvaídos, melancólicos movimientos de acercamiento a una realidad sospechosa, inalcanzable.

No es sólo en la métrica, no obstante, donde las coincidencias son abundantes. También en los motivos y en la expresión. Y así lo han visto Müller, Harris y Capote en algunos de los casos. Citemos por vía de ejemplo:

a) Comparando los poemas publicados en *La Revista de Occidente,* número XV, 1924, se puede llegar fácilmente a los siguientes paralelismos:

GUILLEN	CERNUDA
Tras de las persianas *verdes, el verdor* *de aquella enramada* *toda tornasol...*	*... la ventana* *traza su verde persiana* *en la enramada a la aurora.* («La luz, dudosa, despierta».)
¡Hueste de esbeltas fuer- [*zas!* *¡Qué alacridad de mozo* *en el espacio airoso* *henchida de presencia!*	*¡Esa brisa reciente* *en el espacio esbelta!* *En las hojas abriendo* *sólo una primavera.* («¡Esa brisa reciente...!»)
¡Más, todavía más! *Hacia el sol, en volandas.*	*Sobre su verde espuma* *huye el aire en volandas* («Ingrávido presente».)

¡Qué dulzura en los años
irreparables! ¡Bodas
tardías con la historia
desamada a diario!

El tiempo en las estrellas.
Desterrada la historia.
Los sentidos duermen
aguardando sus bodas.
(«El divorcio indolente».)

b) No sólo éstos. Otros ejemplos tratados por Harris y sacados de otras revistas son:

GUILLEN

CERNUDA

... la mano
alcanza sin esfuerzo
(«Esta luna de antaño»)[20]

Y bajará la luna
a posarse en la mano
(«Ingrávido presente»)

Morosamente concierta
la lentitud invasora
de la siesta con el vago
giro del Gusto... [21]

El aire tierno concierta
con esta cándida hora
(«La luz, dudosa, despierta»)

¿... el varillaje de una au-
          [rora
de pluma, o la cola
del pavón? [22]

¿Levanta entre las hojas
una aurora nocturna
o el pavón que despliega
su indolencia de pluma?
(«La noche a la ventana»)

c) En cuanto a la influencia de motivos, tono, atmósfera, cita el propio Harris con acierto los siguientes versos de Guillén:

[20] *Alfar,* número 38 (1924), p. 2. Estos versos son de la primera versión de «Advenimiento». De la revista *Alfar* había en la biblioteca de Cernuda catorce números.

[21] *Revista de Occidente,* núm. XXIII, mayo, 1925, p. 200. Este poema es la primera versión de «Ahora».

[22] *Revista España,* núm. 361 (17-3-23), p. 5. «La niña boba».

Esas nubes: el gris
tan joven de su rumbo
sin prisa de futuro,
la inactualidad feliz

Este cristal, a fuer
de fiel, me transparenta
la vida cual si fuera
su ideal a la vez [23].

Paralelismo insinuado, aunque sólo sea paralelismo, entre los poemas optimistas de Cernuda y los de Guillén.

Sin embargo, el optimismo de uno y de otro no son heredados sin más. La posible transmisión está absorbida y modificada según el interés del poeta asimilador. Guillén, no es necesario repetirlo, exalta la armonía del universo, pero como cosmos, como armonía que en último término tiene como vía la de la inteligencia sentiente. Tal exaltación lo es tanto de las maravillas concretas de ese cosmos, como de su condición de tal, es decir, de su orden, de su bienhechura. En Cernuda la poesía optimista no presupone nada, se abre adolescentemente al exterior, a lo posiblemente maravilloso. Con la misma desnudez y anhelo con que su sensibilidad, que no su inteligencia, se acerca al universo —exterior o interior—, con idéntico desencanto se repliega en la frustración, la soledad, la melancolía, la desesperación sarcástica incluso. Las miradas de ambos poetas son polarmente distintas.

Capote aventura la hipótesis de una coincidencia, que él mismo destruye, del concepto de temporalidad en Guillén y en Cernuda. Cita la coincidencia de termi-

[23] *Revista de Occidente,* número XXXVI, junio, 1926. Primera versión de «Presencia del aire».

nología temporal, en palabras tales como «presente», «instante», «historia», «inmediato». Es clara la divergencia. En Guillén el tiempo es instante de plenitud y orbe de la plenitud. En Cernuda el tiempo es instante generador de melancolía y tristeza.

Para determinar exactamente los límites de la influencia de Guillén en Cernuda recojamos dos testimonios del propio Guillén, que es quien definitivamente deja acotado el campo:

«Pero me importa —a mí— señalar ante todo la voz. Su voz. Que es suya, personalísima, intransferible, irreductible... ¿Influencias? Bien. Pero eso es muy poco. Un poema no puede estar constituido, cuando alcanza tal calidad, por la sola influencia. ¿Y todo lo demás? Yo, mejor que nadie, veo en cada poema de *Perfil del aire* una voz irreductible a todas las demás» [24].

Opinión de Guillén que no ha cambiado a lo largo del tiempo. Esto mismo nos fue verbalmente comunicado en conversación privada y a D. Harris en carta de fecha 17-VII-66.

«*Perfil del aire* es un libro precioso y ya original. En él suenan una voz que evoca con su propio acento un mundo perteneciente al poeta que él iba a ser. La modulación de la frase, de la estrofa, guarda ciertos dejos del poeta castellano. ¿Y qué? Aquel "perfil" y aquel "aire" constituyen una creación original» [25].

Como apostilla Harris, la acusación de haber imitado a Guillén influyó más, a la postre, en Cernuda, que la propia poesía del castellano.

---

[24] Carta de Jorge Guillén a Luis Cernuda. Publicada por Harris, *op. cit.*, p. 195. Fecha de la carta: 26-5-27.

[25] Carta de Jorge Guillén a Derek Harris, de fecha 17-7-66, de la que Harris publica el párrafo citado en su obra citada, p. 76.

Delicadísimo tema éste de las influencias en el primer libro de Cernuda *Perfil del aire.* Ya lo hemos visto en el caso de Jorge Guillén, hacia quien Cernuda conservó durante su vida, por asunto tan ajeno quizá a uno como a otro, reticente distancia. Asunto doloroso como pocos para Cernuda el de las presencias desmesurada e injustamente detectadas por críticos de la época en su cristalina entrega primera, de la mano de *Litoral.* Asunto hacia el que continuamente vuelve, y que en cierto modo determinó su vida poética. Trauma debido, más que a ninguna otra causa, a la irreflexividad y alegría de esos críticos de su tiempo sobre todo a los que ejercían tal menester subsidario en diarios y revistas. Un exceso de susceptibilidad por parte del joven poeta, aislado en Sevilla, sin otra credencial que sus versos, y, como pintoresco contraste, la benevolencia ritual con que todo libro de versos era acogido en la corte, provocaron su silenciosa entonces, y airada más tarde, indignación.

Derek Harris ha seguido con la finura y documentación que le caracterizan la ruta de las presencias de poemas en *Perfil del aire.* Partiendo de su trabajo, explayamos a continuación los motivos y formas que afluyen y cuajan en esta primera experiencia cernudiana, fijándonos más en cómo el poeta las somete a su órbita de intereses poéticos, que en aquello que de diferente pudieran comportar.

La primera reseña de *Perfil del aire* aparece en *La Libertad,* del 29 de abril de 1927, firmada por Juan Chabás. Dice Chabás que «una poesía desnuda transustanciada», como la de Cernuda, ha de nacer, viniendo de un joven, de una influencia dominante y formativa.

«En Cernuda esta obra recogida y guardada ha ejercido influencia tan esencial, que realmente puede decírsele discípulo de Guillén, discípulo fiel, formado en la admiración y el estudio devotos del maestro.» Le aconseja que busque un camino personal.

El día 1 de mayo, en *La Gaceta Literaria,* se publicó otra reseña con las iniciales F. A. correspondientes a Francisco Ayala. Califica al libro de antimoderno, de ausencia de vanguardismo y estética tecnológica, y asevera, dogmático, que la influencia de Guillén le quita personalidad.

En *El Sol,* el 18 de mayo, E. Salazar Chapela escribe un largo artículo, en el que exactamente la mitad se dedica a hablar de Guillén y de la poesía pura, acusando a renglón seguido a Cernuda de profesar a Guillén una admiración tal, que ha impedido el desarrollo de su propia personalidad. Asimismo le acusa de falta de chisporroteo de la imagen y de la libertad del verso moderno. «Poeta de un solo tono, de un solo ritmo, Cernuda desliza una canción tibia, sin pasión ni alegría, supeditada en todo momento al rigorismo de la métrica.»

Dos comentarios positivos tuvo Cernuda en ese tiempo: el de Bergamín «El idealismo andaluz», y aparecido en *La Gaceta Literaria,* el 1 de junio de 1927; y el de Lluís Montanyá, publicado en *L'Amic de les Arts,* en febrero de 1928.

Bergamín dice: «Una crítica falsa —la de los parecidos— se complace en subrayar la semejanza; pero la verdadera crítica debe hacer todo lo contrario: evidenciar la diferencia... La poesía de Luis Cernuda, desnuda de todo parecido externo, es originalísima...»

Y más adelante:

«Lo que no tiene efectivamente la poesía de Cernuda es modernidad; lo que llaman 'modernidad' los parecidistas: falsificación de novedades ajenas —cuando lo son— habitualmente francesas; todo lo más viejo y trasnochado. Cernuda no es moderno, es nuevo, como lo son —y lo serán siempre— Salinas, Guillén, Espina, Dámaso Alonso, Aleixandre, Prados... o Federico García Lorca y Rafael Alberti...»

Lluís Montanyá destaca la categoría del autor de *Perfil del aire,* sin ambages:

«*Un poeta. I un poeta pur. Aixi, sense vacil.lacions ni eufemismes.*»

Reconociendo *l'ombra llunyana* de Juan Ramón, afirma que la poesía de Cernuda tiene una gracia inimitable, una línea purísima.

«*Rimador habilissim, el vers és matèria dúctil a les seves mans... Esperem grans coses del poeta depuradissim de* Perfil del aire.»

Cernuda agradeció mucho estas misivas de buena voluntad y no le molestó que en ellas se aludiera a la influencia de Guillén en su justo término. (Más tarde, en la airada réplica en forma de fingido diálogo «El crítico, el amigo y el poeta» se desvió del todo de este primer sentir.)

Joaquín Romero Murube, en *El Noticiero Sevillano* del 25 de mayo de 1927, en unos apuntes líricos titulados «Sesgos. Macetas», alude al neorromanticismo cernudiano.

César Barja, en la revista norteamericana *The Modern Lenguages Forum,* reseña en la nómina de publicaciones del año 1927, el libro *Perfil del aire,* en la página 21 de la revista, número 3 de la misma:

«*Luis Cernuda's book* Perfil del aire (Málaga, 1927) *includes a small collection of poems, equally remarka-*

ble for the purity of their poetic inspiration as for the correctness of their execution and neatness expression.»

Derek Harris, en su trabajo ya citado, recoge un tercer recorte conservado entre los papeles de Cernuda —los otros dos son los de Romero Murube y Barja—, publicado en la *Nueva Revista,* de Santa Cruz de Tenerife, titulado «La más joven poesía», y firmado con las iniciales V. X. En él se le coloca entre los primeros poetas actuales de España, añadiendo que su libro le ha dado privilegio de distinción y originalidad.

De todas estas críticas, incluso las favorables, lo que se saca en claro es la impreparación de quienes se dedicaban a tal periodismo en los años veinte, y su gran dosis de temor a al hora de encontrar claves para la interpretación. Bergamín, Montanyá, Barja, reconocen al menos —Montanyá sobre todo— la novedad de un orbe poético diferente, ese acento intransferible que Cernuda tiene desde sus primeros versos. Al cabo ninguno de los aludidos era un crítico técnico, y más que otra cosa —señalemos a Bergamín— lo que le importa es contrarrestar el desfavorable ambiente que Chabás, Salazar, Ayala (¡Ayala!) habían creado.

No sólo ellos. Los expertos en literatura han venido repitiendo rutinariamente que *Perfil del aire* era poco más que el subproducto de un epígono de Guillén, y ha habido que esperar a 1971 para que Capote y Harris acometan por vez primera con serenidad la delimitación del campo individual, original de Cernuda, del de sus influencias. La Dra. E. Müller había iniciado en su libro *Die Dichtung Luis Cernudas,* este análisis.

Las influencias en Cernuda son varias y confluyentes. Ordenándolas según el impacto producido en *Perfil del aire* están: Juan Ramón Jiménez, Stephane Mallarmé, Pierre Reverdy, Pedro Salinas, Jorge Guillén.

Capote aporta además la de Aleixandre y la presencia del neopopularismo. Ambas nos parecen inexistentes en este primer estadio cernudiano.

Juan Ramón Jiménez

Juan Ramón Jiménez, en una entrevista con E. Giménez Caballero, en *La Gaceta Literaria*[26], y recién publicado *Perfil del aire,* cita a Cernuda como discípulo y ejemplo de influencias en los jóvenes. Cernuda, en un artículo virulento y famoso, con ocasión de la muerte del poeta de Moguer, explica cuál era su actitud primera ante el gran poeta que Salinas le presentó en 1925, en una visita de Juan Ramón a Sevilla:

«... a la presencia casi mítica del gran maestro considerado como algo divino...»

«... ese Jiménez Jekyll, el autor de la *Segunda antolojía poética* y de otros libros que eran entonces mi delicia y mi guía...»

«... una admiración quintaesenciada y absurda...»[27].

La influencia de Juan Ramón en *Perfil del aire* es evidente, no sólo en el tono sino también en la dicción.

En la poesía primera de Cernuda, el tono melancólico, tono desde Bécquer propio de la poesía andaluza, tiene una semejanza clara con la delicuescente tristeza del Juan Ramón de la primera época. Una melancolía cósmica, unas aspiraciones melancólicas a un ideal nebuloso, inalcanzable:

---

[26] Ernesto Giménez Caballero. «Manías de los escritores: la de Juan Ramón Jiménez». *La Gaceta Literaria,* núm. 8 (15-4-27), p. 1.

[27] Luis Cernuda: «Los dos Juan Ramón Jiménez», *Poesía y literatura* II. Barcelona, Seix Barral, 1964, pp. 107-112.

¡Qué triste es amarlo todo
sin saber lo que se ama!

(«Nocturno»)[28].

Este parentesco emocional provoca muchas coincidencias de temas e imágenes. Ambos muestran preferencia por la imaginería otoñal, hojas caídas y sol poniente:

CERNUDA	JUAN RAMON
Por debajo del otoño	*¡La otra tarde se ha lle-*
Las aguas pasan sedientas.	*[vado*
Un árbol mustio se olvida	*el viento más hojas secas!*
De las hojas que lo dejan.	*¡Qué pena tendrán los ár-*
(«Instante. Como pasado»)	*[boles*
	esta noche sin estrellas!
	(«La otra tarde se ha lle-
	vado») [29]
En el fruto yace presa	*... una pálida hoja mustia*
La vana melancolía.	*dando vueltas, cae al suelo.*
(«Pomposo verdor»)	(«Parque viejo») [30]

El tema del «olvido» es atribuido por E. Müller a Juan Ramón. Capote así lo toma. D. Harris demuestra convincentemente, que tal motivo, importante en *Perfil del aire,* tiene origen mallarmeano.

---

[28] Juan Ramón Jiménez. *Tercera antología poética,* 1898-1953. «Nocturno», del libro *Rimas de sombra,* p. 35. Madrid, Biblioteca Nueva, 1957.

[29] *Ibid.* «La otra tarde se ha llevado», de *Arias tristes,* p. 48.

[30] *Ibid.* «Parque viejo», de *Rimas de sombra,* p. 29.

6

E. Müller cita varios casos de imitación directa de Juan Ramón. Por vía de ejemplo, los dos versos de Cernuda: «*Arboles a la orilla / soñolienta del agua*», del poema: «Sólo está. Ni las nubes» se acercan bastante a:

> ... *y, en la ribera dorada,*
> *sueñan los árboles verdes*
> *al ir lloroso del agua.*

del poema de Juan Ramón: «En la quietud de estos valles», del libro *Arias tristes* [31].

D. Harris, polemizando con E. Müller, cree que para los versos citados de Cernuda es fuente más directa:

> ... *las ramas*
> *soñolientas de los sauces*
> *en los remansos caídos.*

del poema «Río de cristal, dormido», asimismo del libro *Arias tristes*.

Otras similitudes entre ambos poetas son encontradas por Harris: así el paralelismo entre la décima «Los árboles al poniente», y el «Viaje definitivo», juanramoniano, del libro *Poemas agrestes*.

O el parecido entre los versos:

> *¡Que la desidicha sonría*
> *Hasta que el viento la lleve!*

del poema de *Perfil del aire* titulado «El fresco verano llena», con el verso último del poema «El viento se ha llevado las nubes de tristeza», de Juan Ramón:

> ... *y el viento del olvido se lleve lo doliente*

---

31 *Ibid.* «En la quietud de estos valles», de *Arias tristes*, p. 55.

O los últimos versos del poema de Cernuda «Ingrávido presente»:

> Y bajará la luna
> A posarse en la mano.

con los versos del poema «Amor» de Juan Ramón:

> una noche de estrellas
> bajas, amor, a los sentidos.

J. M. Capote opina que el tema del sueño, romántico, se repite en ambos poetas. Nos parecen bien diferentes, sin embargo, los significados del término «sueño» en Cernuda y en Juan Ramón:

En Cernuda, cuando no es un término irónico:

> ... ¿Soñar?
> Soñaremos que sueño.

que niega la posibilidad de un mundo soñado como objetivo suficiente de sus anhelos adolescentes, está utilizado adjetivando muy vagamente:

> Arboles a la orilla
> Soñolienta del agua.

En Juan Ramón es, efectivamente, el deseo de soñar un objetivo que envuelve como un nimbo al mundo y a las cosas, a las que desrealiza, para que ese nuevo mundo, soñado, satisfaga el ansia del poeta.

Más clara es en este período intimista de Cernuda la influencia de Juan Ramón en su posición ante la temporalidad. En ambos el verbo «huir» se prodiga reiterativamente.

En cuanto a las imágenes, en ambos la lluvia, el frío,

los crepúsculos simbolizan la tristeza. Asimismo tienen el mismo simbolismo las notas del paisaje pastoril: rosas, verdor, golondrinas, ruiseñores.

Y sobre todo, por afinidad emocional y expresiva, la influencia de fondo. De Juan Ramón toma Cernuda la idea simbolista de la poesía y una gran parte de su vocabulario. Aunque todos los poetas jóvenes de los años veinte no podían sustraerse a la influencia de Juan Ramón, en el caso de Cernuda ya estaba preparado. Su profunda simpatía hacia la visión del mundo que emana de la poesía de Jiménez, tan cercana a su cosmovisión provocan este trasvase, que se sintetiza con otros análogos y con la propia originalidad del poeta.

Stéphane Mallarmé

Tanto en el largo escrito «Historial de un libro» como en el artículo «El crítico, el amigo y el poeta», hace pormenorizada referencia Cernuda del hechizo que la obra de Mallarmé, aconsejada por Salinas, ejerce sobre él. Dice:

«... emprendí la lectura de Mallarmé y de Rimbaud; el verso del primero me pareció ya entonces, y nunca dejó de parecerme así a través de los años, de una hermosura sin igual» [32].

Y en el artículo «El crítico, el amigo y el poeta» ha señalado qué poemas concretos están inspirados por el simbolista francés; aunque en realidad las influencias sean más.

Dice que la décima «La soledad. No se siente», utiliza la imagen del papel blanco, como el verso *le vide papier que la blancheur défend*, del poema mallarmeano *Brise marine*. Los versos aludidos de Cernuda son:

---

[32] Luis Cernuda. *Poesía y literatura,* p. 235.

> *Porque sólo el tiempo llena*
> *El blanco papel vacío.*

Relaciona igualmente el tema del cuarto vacío iluminado por un sólo rayo de luz, en los poemas «Morir cotidiano, undoso», y «¿Dónde huir? Tibio vacío», con el mismo tema en los de Mallarmé: *«Quand l'ombre menaça de la fatale loi», «Ses purs ongles très hauts dédiant leur onyx»,* y *«Tout orgueil fume-t-il du soir.»*

Es el propio Cernuda quien sigue señalando —sin duda para compensar la acusación de guilleniano, y mostrar la torpeza de los críticos— la relación entre los versos:

> *Entre ramaje dorado*
> *Agua helada se desata*

de la décima «Le goza sueño azogado», con la imagen:

> *«eau froide par l'ennui dans ton cadre gelée»,*

que aparece en el poema «Hérodiade».

Finalmente señala la semejanza métrica entre el poema «Sombra recoleta» y los *«Petits airs»,* de Mellarmé.

En su biblioteca de Sevilla, su hermana, en la relación de libros ya antes nombrada, reseña los siguientes títulos del poeta francés:

> *Un coup de dés*
> *Divagations.*
> *Le harasol.*
> *Vers de circonstance.*

Ricardo Molina ha señalado[33] muy agudamente la relación entre los poemas de objetos de Cernuda con los poemas de objetos del maestro del simbolismo. Así

---

[33] Ricardo Molina. «La conciencia trágica del tiempo, clave esencial de la poesía de Luis Cernuda». *Cántico*, núms. 9-10. Córdoba, agosto-noviembre, 1955, pp. 37-41.

«Urbano y dulce revuelo», donde Cernuda compara el abanico con el ventilador mecánico, cercano al poema sobre los abanicos de Mallarmé.

Otras varias influencias pueden rastrearse: E. Müller encuentra que la frase de «*Brise marine*»: *l'adieu supreme des mouchoirirs*, está cercana al verso «el adiós, el pañuelo», del poema «Cuán tierna la estación». O la expresión: *Où fuir?*, del Mallarmé de *L'Azur*, con la pregunta de Cernuda: «¿Dónde huir? Tibio vacío.»

Igualmente hay coincidencia en ambos en los temas del narcisismo y de la música.

Harris amplía esta observación con más datos.

El poeta-ángel de «El amor mueve el mundo» recuerda *l'ange* del poema «*Sainte*». El «abanico de humo» de la composición cernudiana «Ingrávido presente» es eco del tema simbolista francés. Las ideas, igualmente, de hastío y olvido, provienen del *vomissement,* y de *l'ennui* presentes respectivamente en *Les fenêtres* y *L'ennui.* O las expresiones *le jour premier* y *la terre jeune encore et vierge de désastres,* tan cercanas a la primera mirada cernudiana sobre el mundo. Cita igualmente la similitud de atmósfera melancólica.

De todas maneras, la deficiencia, entonces, de conocimiento de la lengua francesa, es posible que le llevara a una lectura de superficie de la obra mallarmeana, generalmente esotérica. Y que del hermetismo metafórico tomara tan sólo imágenes o temas que adaptar a su propia contemplación del mundo, desviándolas del sentido que poseyeran en el poema originario. Como bien señala Harris, el ideal de Mallarmé era de índole estética, mientras que Cernuda perseguía afanes cercanos a la erótica. Así, en el símbolo del papel blanco, en Mallarmé corresponde al ideal de la poesía, que se anula al expresarse en palabras. En Cernuda, en cambio, simboliza la frustración del deseo cuando no ha encontrado más realización que la de ser expresado.

O igualmente el tema del cuarto oscuro, en ambos simbólico: impotencia de la tentativa poética en Mallarmé, soledad ardiente en Cernuda.

Pierre Reverdy

Cernuda leyó por vez primera a Reverdy, según propia declaración, en la *Anthologie des poètes français contemporains*, publicada en 1924 por la Editorial Kra. A continuación se procuró el libro *Les epaves du ciel*, antología de los escritos del francés desde 1915 a 1922.

En «Historial de un libro» y en un artículo escrito a la muerte de Reverdy como homenaje, deja constancia de la atracción que sintió por el poeta francés.

En «Historial de un libro» dice:

«Debo indicar la (huella) de Pierre Reverdy, cuyo nombre descubrí en un comentario nada favorable a su obra... Entonces me ayudaron algunas cualidades suyas, en favor de las cuales estaba yo predispuesto: desnudez, pureza (sea lo que sea lo que esta palabra, tan abusada, suscite hoy en la mente del lector), reticencia. En todo caso es justa su mención aquí, porque la huella de Reverdy, aunque ningún crítico la percibiera, es visible en *Perfil del aire* [34].

En el artículo que, como homenaje, escribió Cernuda con motivo de su muerte, para la revista *Mercure de France*, publicada en enero de 1962 [35], Cernuda, indirectamente, revela mucho de su propio mundo poético.

Y como tercera referencia que del poeta francés hizo el sevillano tenemos, en la conversación apócrifa «El crítico, el amigo y el poeta» lo siguiente:

---

[34] Luis Cernuda. *Poesía y literatura*, p. 236.
[35] Luis Cernuda. «Recuerdo de Pierre Reverdy». *Poesía y literatura II*. Barcelona, 1964, pp. 199-203.

«Cernuda nunca leyó con atención un texto de Valéry, excepto *La Soirée avec Monsieur Teste*. No, el poeta en cuestión de quien Cernuda aprendió ascetismo poético, es Pierre Reverdy».

Antes de rastrear los posibles motivos que Cernuda aprehende en Reverdy, se hace necesario señalar la impronta profunda que, en cuanto a actitud poética y vital el francés operó sobre el poeta de Sevilla [36]. Esa desnudez y pureza, esa reticencia invoca la ausencia de retórica —de retórica visible, al menos— contrastando con la suntuosidad de formas y temas de la poesía francesa. Reverdy le ayudó a bordear lo folklórico y pedantesco, características para él de los manierismos de la poesía de los años veinte. Se hace más visible esta influencia de sencillez en los poemas en los que Cernuda canta a objetos o fenómenos cotidianos del mundo. El lo ha destacado:

«Con unos pocos objetos exteriores, simples y cotidianos (equivalentes a los que empleaban en sus lienzos algunos pintores contemporáneos suyos, como Braque o Gris), a los que anima con su emoción reticente, levanta Reverdy sus poemas, ya en verso ya en prosa, dotándolos de un latido mágico, que parece confundirse con el del corazón mismo del mundo. Nos seduce por esa desnudez ascénica que, en su tierra, parecía dejarle privado de halago poético» [37].

Y no sólo en la formación de su lenguaje poético, sino en cuanto al concepto mismo de poesía. La pureza de Reverdy no es la pureza química de Valéry-Guillén, ni la sencillez de expresión, sino una pureza de espíritu, una dedicación a la poesía desde un punto de vista ético-espiritual más que estético, dedicación que

---

[36] Octavio Paz. «La palabra edificante». *Papeles de Son Armadans*, CIII, octubre, 1964, pp. 41-82.

[37] Luis Cernuda. «Recuerdo de Pierre Reverdy», id. id., p. 201.

resulta del mantenimiento consciente del contacto entre la poesía y la realidad vivida:

«Una pureza espiritual, ética, de su conciencia como poeta..., una conciencia poética admirable, que había renunciado lo mismo al halago superficial de la sociedad como al del mundo visible, aunque sin renunciar por eso, como ya indiqué antes, a la hermosura del mismo» [38].

Tal actitud, vagamente intuida en esa primera época, y expresada con la misma nitidez con la que después el poeta, fiel a ella, dan la clave de influencia fundamental reverdiana.

El descubrimiento que de sí mismo efectuó Cernuda ante la obra de Reverdy fue decisivo en este momento, y quizá de superior calidad vital que los de Juan Ramón o Mallarmé. Si en ellos veía los modelos estelares a seguir, en Reverdy estaba la clave de aquello a lo que se sentía instintivamente predispuesto. Y por eso mismo, no le fue a influir ni el vanguardismo de Reverdy, ni el sentido religioso de sus poemas (como se sabe se retiró a la abadía de Solesmes al fin de su vida), sino que la poesía del francés fue el espejo donde vio nítidamente reflejadas sus propias, mal definidas, aspiraciones.

En cuanto a los temas, la imagen cubista (recuérdese las citas de Braque y Gris), en la que se describe cómo el poeta desde el ángulo de la habitación observa el mundo, y sufre de desolación y olvido, es la misma de Reverdy en la que el poeta intenta alejarse del mundo.

Enumerativamente, otras imágenes de Reverdy que utiliza Cernuda son: la lámpara, los muros, los objetos cotidianos como el ventilador, o el libro rodeado de un nimbo mágico.

Asimismo el sentimiento de soledad y enajenación.

---

[38] *Ibid,* p. 200.

El propio Cernuda describe el poema *Bélle etoile*, de Reverdy, del libro *Poèmes en prose:*

«Hay un poema en prosa suyo... cuyo recuerdo me persigue como símbolo de su autor. En él, un hombre que semeja buscar algún refugio, como tantas veces ocurre en los poemas de Reverdy, halla en el campo una puerta, una puerta sola, sin paredes a los lados ni habitación tras de ella; la abre, atraviesa su dintel, la cierra cobijándose detrás, como al fin seguro. En ese personaje adivino al poeta, acosado por algo o en busca de algo [39] y creyéndose de momento protegido del mundo y contra el mundo, de su terror y de su atracción» [40].

Hay asimismo gran afinidad con Reverdy en los poemas melancólicos. Afinidad de tono y de ambiente. Así:

a) El cuarto donde el poeta, de noche, se encuentra en soledad. Los muros son la barrera. Sus deseos insatisfechos crean la situación melancólica. Como ejemplo está el poema en prosa *Lumière,* publicado en *Les epaves du ciel.*

«*Un petite tache entre les paupières qui battent. La chambre est vide et les volets s'ouvrent dans la poussière. C'est le jour qui entre ou quelque souvenir qui fait pleurer tes yeux. Le paysage du mur —l'horizont de derrière— ta mémoire en desordre et le ciel plus près d'eux. Il y a des arbres et des nuages, des têtes qui passent et des maines blessées par la lumière. Et puis c'est un rideau qui tombe et qui enveloppe toutes ces formes dans la nuit* [41].

Este poema está cerca del cernudiano «Los muros, nada más».

b) La expresión de melancolía al retrasarse la dicha que el poeta esperaba:

---

[39] Reverdy buscaba la fe religiosa.
[40] *Ibid,* pp. 201-202.
[41] «Lumière». *Les epaves du ciel* (París, 1924), p. 165.

Je vois enfin le jour a travers les paupières
Les persiennes de la maison se soulèvent
Et battent
Mais le jour où je devais le rencontrer
N'est pas encore venu.

Igualmente, la historia simbólica del poema *L'esprit sort*, donde Reverdy narra el intento de traspasar los muros de su cuarto para buscar el ideal, pero existen otros muros y otros.

«*De mes ongles j'ai griffé la paroi et, morceau à morceau, j'ai fait un trou dans le mur de droite. C'était une fenêtre et le soleil qui voulait m'aveugler n'a pas pu m'empêcher de regarde er dehors.*

»*C'était la rue mais le palais n'était pas lá. Je connaissais déjà un autre poussière et d'autres murs qui bordaient le trottoir*» [42].

En poemas similares a este citado aparece el paralelismo con los poemas de desengaño adolescente cernudianos. Igualmente se refleja en Reverdy el simbolismo de Mallarmé, de donde Cernuda lo toma. Como ejemplos, baste citar el narcisismo en los poemas de *Les epaves du ciel,* o el punto de claridad en el cuarto oscuro, pero desprovistos en Reverdy ya de dimensiones estetizantes, con sentimiento más hondo de soledad y melancolía.

Pedro Salinas

Salinas, maestro universitario de Cernuda, guía en sus primeras lecturas, y oficiante en sus primeras publicaciones, actúa más como estímulo para el joven poeta que como luminaria. Así lo reconoce el propio interesado:

---

[42] *Ibid. Grandeur nature*, p. 63. *L'esprit sort*, p. 12.

«No sabría decir cuánto debo a Salinas, a sus indicaciones, a su estímulo primero; apenas hubiera podido yo, en cuanto poeta, sin su ayuda, haber encontrado mi camino» [43].

Es claro que la intención poética de Salinas difiere radicalmente de la de Cernuda. En Salinas el objetivo básico de su inquietud es la incapacidad de distinguir entre la realidad interior de la mente y la realidad tangible del mundo exterior. Y en cuanto a la influencia posible en Cernuda de un lenguaje coloquial reticente o conceptismo mental del autor de *La voz a ti debida,* ya hemos visto que precisamente tal lenguaje le llega a Cernuda de Reverdy.

Con todo, hay poemas en los que el punto de contacto es evidente. Son aquellos que derivan de la admiración y utilización irónica de la estética tecnológica. Así la décima sobre el ventilador «Urbano y dulce revuelo», y el poema de imágenes ferroviarias: «¡Cuán tierna la estación!», que recuerdan a los poemas (denostados por el Cernuda maduro como juegos sólo ingeniosos) de *Seguro azar,* donde Salinas canta jocosamente el maquinismo.

Hay en el primer libro de Salinas, *Presagios,* leves notas adolescentes, que pudieron en su momento atraer al sevillano. Cita Harris, de ese libro, el «interior panal» (poema 25), con su «dulce secreto eterno» (poema 45), o la «divina mentira de estar solo», del poema 12, o el uso de la ventana como división entre el poeta y el mundo. Pero estas leves pinceladas etéreas quedan ahormadas en una pinza conceptuosa, aunque sea el propio Cernuda quien hable de espontaneidad y frescura expresivas refiriéndose a este primer libro de Salinas [44].

---

[43] Luis Cernuda. *Poesía y literatura,* p. 235.
[44] Luis Cernuda. *Estudios sobre poesía española contemporánea.* Guadarrama. Madrid, 1957, pp. 205-206.

En cuanto a similitud de expresiones, tenemos el paralelo entre la décima «Enciende la noche hoguera», sobre el cohete, con el soneto de Salinas «Deja ya de mirar la arquitectura».

O el poema « ¡Sólo está! Ni las nubes», con los versos del poema 30 de *Presagios:*

> ... *el cielo seco*
> *huérfano de nube o pájaro.*

O el tema del fruto entre las hojas de la décima «Pomposo verdor extiende», con los poemas 3 y 36 de Salinas, del mismo libro.

En *Seguro azar,* además de lo ya apuntado, los paralelismos:

a) La expresión «luz del tacto», del poema «Don de la materia», con los versos cernudianos:

> *Con la luz fugitiva*
> *Más devuelto en el tacto.*

del poema «Va la sombra invasora».

b) Los versos:

> *el asfalto ofrece*
> *sucia azogue a las nubes*

en el poema «Pájaro apresurado», de Salinas, con los de Cernuda:

> *...los reflejos*
> *Del suelo lluvioso,*
> *De incierto azogado*

del poema «Exhuma las nieblas».

c) Las frases de la décima: «Urbano y dulce revuelo:

> *sin pena ni gloria...*
> *Al curvo desmayo estivo*

con frases sueltas del libro de Salinas *Seguro azar:*

> *En cristal recto, desmayo;*
> *en palma curva, querencia.* (poema 8).

> *voluntad en desmayo*
> *toda la vida en curvas* (poema 19).

Otro paralelismo, señalado por Harris: «sin pena ni gloria = sin derrota ni gloria», no sirve, dado que «sin pena ni gloria» actúa como lexía. La utilización de la ruptura de la lexía con fin expresivo conceptuoso sería lo paralelo, que en Cernuda, al no existir tal procedimiento, no funciona.

Señalemos, por fin, la homogeneidad de influencias respecto al simbolismo. La imagen del papel blanco: *(Presagios,* poema, 24; *Seguro azar,* poema 14), o la utilización de la interrogación «¿Dónde huir?», originaria de Mallarmé.

García Lorca y un romance inédito

En la edición crítica que Derek Harris publicó del libro *Perfil del aire,* en 1971 en Támesis Book, nos ofrece, entre otros poemas inéditos, el romance cuyo primer verso dice «De tanta estival presencia». Este texto, perteneciente, en copia autógrafa, al archivo de Jorge Guillén, revela una faceta desconocida del primer Cernuda, y a la vez, una faceta asimismo novedosa de las posibilidades de un romance. Parece Cernuda intentar un feliz acoplamiento entre fórmulas que en principio exigen materiales argumentales y descriptivos, un motivo muy suyo en ese momento de juventud, y similar al de otros poemas de su primer libro: el juego entre el júbilo estival del cuerpo desnudo y luminoso y el miedo de dicha frustrada, la soledad sorda y fría. Un romance en tres momento: júbilo —miedo a la soledad— de nuevo júbilo.

He aquí el romance:

De tanta estival presencia
henchida canta la casa:
celestes muros ligeros
levantados como alas,
por el jubiloso espacio
se la llevan en volandas.
Desnudo el cuerpo, tan puro
en su adolescente gracia,
entre la fronda vislumbra
fugitivas sombras bloncas.
Obstinándose, los brazos
enamorados abrazan
la forma esbelta del aire
sonriente de luz clara.
Mas una difusa onda
va rindiendo luminarias
festivas en las orillas
del gozo que se acercaba.
¿De dónde viene este oscuro
miedo de dicha frustrada?
... Acaso duerme el estío.
Y las puertas de la casa,
todas las puertas abiertas,
quisieran estar cerradas:
aprisionar con sus hojas,

firmes contra la amenaza
friolenta de ese tiempo
inseguro de sus ansias,
la tibia dulzura nuestra,
que sin el cristal escapa,
inasible, velozmente
fugitiva hacia la nada.
Estamos solos, de nuevo.
De tierra otra vez, sin alas,
los muros vienen a tierra.
¡Soledad tan desolada
en el ámbito sobrante
de la atmósfera sonámbula!
¡Sorda soledad, tan sola
entre paredes cerradas!
Pero el cuerpo no se cree
despojado de la gracia,
aunque se mire desnudo,
sin el candor que alumbrara
sus miembros tersos con luces
divinamente endiosadas.
Y por la casa yacente
en intimidad opaca,
le busca el nido más tibio
a su frágil esperanza.
Mas, ¡oh clara maravilla!:
cuando ya el rincón estaba,
¿qué frescas lucen son ésas
tan agudas que resbalan
por el aire en resplandores
de vida resucitada?
¡De nuevo vuelve el estío
levantándonos el alma!
Toda la casa se tiende
con las alas desplegadas.

El texto revela una interferencia constante de fórmulas del romancero tradicional —así, por vía de ejemplo, la alternancia de tiempos verbales: «alumbrara», «estaba» en medio de la narración en presente—, con otras más propias de contemporáneos, como es el caso de las del *Romancero gitano,* de Lorca, escrito entre 1924-1927 precisamente, y del que sin duda conocía los poemsa Cernuda, por su amistad con Lorca, y por haber ofrecido éste lecturas de ellos antes de su publicación. Incluso nos atreveríamos a aventurar que la utilización de fórmulas originales de Lorca, no deja de conllevar cierto halo irónico, al igual que esas leves pinceladas de alternancia verbal. Mas señalemos esas, a nuestro juicio, concomitancias formulares:

a) La fórmula del segundo de estos dos versos:

> *La forma esbelta del aire*
> sonriente de luz clara

¿No es idéntica a construcciones del *Romancero gitano* que cuentan entre las más novedosas del mismo, aliando torsión sintáctica a popularismo narrativo? Así, en el romance de Lorca «Reyerta» leemos:

> bellas de sangre contraria [45].

Y en «La casada infiel»:

> sucia de besos y arena [46]

Y en «San Miguel»:

> fragante de agua colonia [47].

---

[45] «Reyerta», del libro *Romancero gitano.* F. García Lorca. Obras completas. Madrid. Ed. Aguilar. Decimosexta edición, 1971, p. 428.
[46] «La casada infiel», id. id., p. 435.

7

Y en «Prendimiento de Antoñito el Camborio»:

> moreno de verde luna [48].

O, refiriéndose a la muerte en «Muerto de amor»:

> tranquila de flor cortada
> y amarga de muslo joven [49].

Y, para no abrumar más al lector, aquel muy hermoso:

> turbia de huellas lejanas [50]

del romance no menos bello «Thamar y Amnón».

b) Como segunda concomitancia con el romancero lorquiano fijémonos en la interrogación retórica del texto de Cernuda:

> *¿Qué frescas luces son ésas*
> *tan agudas que resbalan*
> *por el aire en resplandores*
> *de vida resucitada?*

Interrogación retórica que, utilizada en el romancero clásico, reasume Lorca con especial expresividad, y, con referencia idéntica a la luz, aparece en «Muerto de amor»:

> *¿Qué es aquello que reluce*
> *por los altos corredores?* [51]

c) Y qué decir de las referencias afectivas a la soledad, personificándola —recuérdese el lorquiano «Mi

47 «San Miguel», id. id., p. 439.
48 «Prendimiento de Antoñito el Camborio», id. id., p. 445.
49 «Muerto de amor», id. id., p. 450.
50 «Thamar y Amnón», id. id., p. 465.
51 «Muerto de amor», id. id., p. 449.

soledad sin descanso», del «Romance del emplazado»—
o incluso haciendo aquí Cernuda el juego irónico de dirigirse a su propia soledad, «tan desolada» en introspección retórica, en dimensión paralela a como la voz del
romance de Lorca se dirige a una Soledad de carne y
hueso, cuya pena es, curiosamente «tan lastimosa». Así
son los dos textos. El de Cernuda·

> *¡Soledad tan desolada*
> *en el ámbito sobrante*
> *de la atmósfera sonámbula!*
> *¡Sorda soledad, tan sola*
> *entre paredes cerradas!*

Y el bien conocido de Lorca:

> *¡Soledad, qué pena tienes,*
> *qué pena tan lastimosa!* [52].

¿Consigue Cernuda con el romance el efecto desea-
do? Tanta divergencia en los resultados por comparación con el resto de los poemas de la serie, y más que
nada, esa secuela irónica no buscada quizá por su autor,
¿no serían el motivo de que él deseara su no publicación? De todos modos, es un texto aleccionador, para
apreciar hasta qué punto el poeta rastreaba fórmulas
y cauces capaces de comunicar su reticente mundo
íntimo.

---

[52] «Romance de la pena negra», id. id., p. 437.

III. GARCILASO EN «EGLOGA, ELEGIA, ODA»

De manera semejante, sólo que con mayor exhibición de motivos, a como Cernuda había asimilado la poesía de Mallarmé, Reverdy, Juan Ramón, Guillén o Salinas en *Perfil del aire,* se enfrenta ahora con el máximo cultivador renacentista de las formas tenidas como modelos del clasicismo italiano. Decimos que de manera semejante. Tanto en el primer libro como ahora, el joven poeta bebe en diversas fuentes para reordenarlas en un universo propio, para ayudarse a representar mejor, echando mano de utensilios poéticos ajenos, las estancias y galerías que pueblan ese universo tan suyo, tan jardín cerrado. Y sin jamás abjurar de su unidad, cual si una nueva luz los traspasara y engarzara en superior dimensión.

Dice Cernuda en «Historia de un libro»: «Mi amor y mi admiración hacia Garcilaso (el poeta español que más querido me es), me llevaron con alguna adición de Mallarmé, a escribir la Egloga..., tras de la Egloga escribí la Elegía y luego la Oda» [1].

---

[1] Luis Cernuda. *Poesía y literatura,* p. 241.

Y en otro texto diferente, «Tres poetas clásicos» [2], aparte de Fray Luis y San Juan de la Cruz, estudia Cernuda a Garcilaso.

Dice en ese trabajo que, gracias al estilo, no sólo informante de la expresión, sino también dador del tono espiritual de la obra, las palabras del poeta son al mismo tiempo idea y emoción, es decir, no meros sonidos elocuentes y melodiosos, sino expresión que contiene en sí una realidad, ofreciéndola clara y pura como la luz tras el cristal. Así es, según Cernuda, la expresión estilística de Garcilaso: en ella aparece la vida con la serenidad de lo contemplado desde el otro lado de la muerte. Y, lo que es más importante para nosotros, «a veces hasta creeríamos que el alma del poeta, en una transmutación panteísta, habita aquello mismo de que nos habla».

Esta nota primera, decisiva, que Cernuda ve en Garcilaso, aunque redactada en 1941, muy posterior, por tanto, a la elaboración de *Egloga, elegía, oda,* da la medida de la influencia del renacentista en tal libro. En tres de los cuatro poemas Cernuda, objetivando la materia poética mediante una narración plástico-temporal, no ha hecho otra cosa que hacer desaparecer su yo como protagonista, en orden a diluirlo en todos y cada uno de los versos, en todas y cada una de las expresiones.

La segunda nota pertinente del precioso estudio sobre Garcilaso es la que dice que la obra del toledano es resultado de un conflicto espiritual. La belleza que posee el mundo, en sus versos, brota más pura por contraste con la apariencia que ese mismo mundo presentaba para las gentes entre las que vivía.

Cernuda es poeta merced a un conflicto similar: la belleza como ideal, el anhelo de ella y la imposibilidad

[2] Luis Cernuda. *Poesía y literatura,* pp. 35-48.

de su alcance. Los tres largos poemas no son, mirados desde este ángulo, otra cosa que documentos de sucesivas frustraciones en el intento de armonizar ambos extremos del conflicto.

Una tercera nota puede todavía recogerse en ese estudio: Cernuda dice que la obra de Garcilaso es delicada y resistente como una sutil lámina de acero que un doble fuego templara: el fuego de la inteligencia y el fuego de la imaginación. Y eso es, como hemos visto, este segundo libro de Cernuda: un producto de la combinación feliz de inteligencia e imaginación. Cernuda seguirá comentando:

«La hoja podrá romperse, pero, aun rota, nos queda el renombre de ella y de la pasión con que fue blandida; porque la pasión, si es pura, como el poeta dice en una de sus elegías, puede sobrevivir a la ausencia y a la muerte» [3].

Estos últimos párrafos, con la alusión machadiana, ya no convienen tanto a *Egloga, elegía, oda*. Quizá el único de sus libros escaso de su habitual incandescente pasión (aunque la haya, adensada, elíptica) sea éste. El poeta lo ha dicho al juzgarlo:

«Mucha parte viva y esencial en mí no hallaba expresión en dichos poemas», parodiando a P. Eluard, que en ellos no encontraba lo que amaba.

Si esto es lo que se puede decir en cuanto a paralelismos de actitud, también la hay en los temas y en las técnicas.

En los temas:

a) Desde el punto de vista de la estructura, Garcilaso está presente en el movimiento de la Egloga y Oda

---

[3] *Ibid,* pp. 41-42.

cernudianas desde la luz (amanecer o mediodía) hacia la oscuridad. Estructura recogida por el renacentista, como se sabe, en Virgilio y Teócrito.

Pero en Cernuda no existen ni diálogos amorosos, ni lamentar de dulces pastores, ni exaltado canto en la Oda, ni llanto profundo en la Elegía. No existe subjetividad formal. Una frialdad grande sitúa muy lejos el discurrir en las escenas. (Aunque el cantor esté inmerso en todas ellas.)

En Garcilaso, el morir de la tarde, cual en Virgilio, trae consigo el cese de las penas de amor:

«Y recordando ambos como de sueño... se fueron recogiendo passo a passo» (Egloga I) [4].

El virgiliano «humo de las caserías» (Egloga II) [5] señala paz, recogimiento suave.

Mientras que en Cernuda los muros de la noche en la Egloga conllevarán el horror nocturno de las cosas; o la huida del dios a su cielo, en la Oda, dejará como rastro ese vacío en que el anhelo queda congelado. Y en la Elegía, la tímida belleza de la aurora, después del hastío del amor imposible, no alcanza a destruir radicalmente la tristeza.

b) En las actitudes y temas amorosos muy diversas son las temperaturas espirituales —de época y de conciencia personal— entre Cernuda y Garcilaso. El lamentar de los idealizados pastores clasicistas tiene una motivación tan real —espiritual y físicamente— como en el propio Garcilaso. En último término la amada —la de la ficción poética y la de la realidad— tiene un nombre, unos encantos, un corazón desdeñoso. Y si los pastoras lloran las penas y desengaños de amor, lo es porque existe en carne y verdad la persona amada. En

---

[4] Garcilaso de la Vega. *Obras completas.* Edición de Elías L. Rivers. Editorial Castalia, 2.ª edición. Madrid, 1968, p. 82.
[5] *Ibid,* p. 138.

Cernuda, en cambio, en este segundo estado poético, el amor, cuando aparece, lo hace todavía en el mismo sentido en que vagamente se apuntaba en *Perfil del aire.* Aparte del narcisismo desmedido, el objeto amoroso se dibuja como inconcreto, contorno presentido, dios ensimismado que regresa a su olímpica belleza y rehuye, por humanas, las batallas de amor. Hasta la serie de poemas titulada *Donde habite el olvido,* no habrá en Cernuda vivencia amorosa concreta. El amor, producto de la imaginación, acrecentada con el conocimiento de los mitos griegos, no abandona la esfera mítica en que se mueve.

En este sentido difiere la utilización del término *cuidado* que Cernuda lee en Garcilaso. Por citar algunos pasajes en los que Garcilaso lo utiliza, tenemos que está en el Soneto I, verso 8 [6]; Soneto II, verso 3 [7]; Soneto III, verso 8 [8]; Soneto XX, verso 5 [9]; y varias veces en Eglogas, Elegías y Canciones. Cernuda lo utiliza en su Oda:

> *Más los tristes cuidados amorosos*
> *Que tercamente la pasión reclama*
> *De quien su vida en otras manos deja:*
> *El tierno lamentar, los enojosos*
> *Hastíos escondidos del que ama*
> *Y tantas lentas lágrimas de queja.*
>
> RD., p. 36

Cuán diferentes estos cuidados de amor, de los del renacentista, en quien no otra cosa significan que las concretas penas y sinsabores amorosos de sus pastores —de su espíritu—, mudables con el cambio de sem-

---

[6] *Ibid,* p. 3.
[7] *Ibid,* p. 4.
[8] *Ibid,* p. 5.
[9] *Ibid,* p. 24.

blante de la amada o con el cambio de amada. En Cernuda muy otros son los cuidados: cierran y cercan, cual frontera de alambre de espino, la comunicación amante-amado, belleza divina y anhelo adolescente.

Dentro del amor, otro de los paralelismos es el del retrato o descripción del amado. Por no poner sino un ejemplo, leemos en Garcilaso:

> *¡O hermosura sobre'l ser humano*
> *o claros ojos, o cabellos d'oro,*
> *o cuello de marfil, o blanca mano!* [10]

Esta enumeración de datos concretos, esta pintura equilibrada en la comunicación de la belleza, se torna estilización, linealidad sensual en Cernuda, al describir ese contorno amado en la penumbra:

> *y del seno la onda oculta crece*
> *al labio donde nace y se aniquila.*
>
> RD., p. 32.

c) Nos hemos referido a los mitos griegos. Garcilaso, en la «Ode ad florem Gnidi», utiliza el de Anaxárete, quien desdeñosa con su amante se arrepintió muy tarde, cuando su amante estaba ya muerto a sus pies; y al tornarse por esta escena su aspereza piedad amorosa, quedó convertida en estatua («en duro mármol, vuelta y transformada») [11].

Cernuda, con muy diferente intención, finge un mito similar, basado en la metamorfosis: ser vivo (humano) convertido en estatua (dios).

El marmóreo dios de la Oda se torna humano por la pasión amorosa, y al desecharla, se transforma de nue-

---

[10] *Ibid*, p. 83.
[11] *Ibid.*, p. 49.

vo en dios níveo. Pero en Garcilaso el mito ilustra una situación concreta; en Cernuda refiere un estado anímico de permanente adolescencia.

Otro elemento mitológico presente en ambos son las ninfas. Para Garcilaso las omnipresentes ninfas son confidentes leales o desleales, invocadas bellezas en desmayo, de cabezas de oro, que con su lascivo vuelo esparcen las ondas cristalinas. En Cernuda, en la Egloga, quedan tipificadas como:

> *Rosados torbellinos*
> *De ninfas verdaderas*
> *En fuga hacia el boscaje.*
> RD., p. 29.

seres que complementan el cuadro paisajístico y que huyen. Su belleza no es; era.

d) Otro de los motivos en que el paralelismo está presente es el de la soledad. Aunque en Cernuda provenga asimismo de *Perfil del aire.* Dice Garcilaso en la Egloga I:

> *Por ti el silencio de la selva umbrosa,*
> *por ti la esquividad y apartamiento*
> *del solitario monte m'agradava* [12];

o sea, recogimiento para mejor gozar del dulce sentimiento amoroso. Mientras que en Cernuda la «soledad amorosa» es la del estado de ánimo después de la imposibilidad del amor y, en proyección segunda, la «sorda soledad del mundo», de la Elegía.

e) Igual que de la soledad, puede decirse de la tristeza. Garcilaso, en la Elegía II, dedicada a Boscán, dice

---

[12] *Ibid,* p. 72.

que está triste porque está lejos de su antigua patria de ocio y de amor, y tal tristeza nace de la ausencia de su bien (amoroso). Lo mismo que en las Eglogas. Los dialogantes dan cuenta de su tristeza, que no es sino ausencia o esquividad de la amada. Incluso sentimiento agridulce y temeroso de perderla.

En Cernuda tal tristeza es, por el contrario, efecto que en el ánimo produce la amurallada soledad, o la huida de la luz de la dicha, o los cuidados hastiantes.

f) En la pintura y descripción del paisaje, siendo en ambos «paisaje anímico», o punto de contraste equilibrador respecto al estado del alma, si similares son los elementos utilizados, no así las intenciones y matices.

Veamos, para mostrarlo, un elemento del paisaje que puede entenderse como ejemplar: el agua.

Leemos en Garcilaso, en el comienzo de la canción III:

> *con un manso rüido*
> *d'agua corriente y clara* [13]

o la abundancia de expresiones con el mismo matiz: «la verdura de su agua clara», «corrientes aguas, puras, cristalinas», en la Egloga I [14]; o «el agua dulce desta clara fuente», «y en medio aquesta fuente clara y pura / que como de cristal resplandecía / mostrando abiertamente su hondura» [15] o «la fuente clara y pura, murmurando / nos está combidando a dulce trato» [16], de la Egloga II (por no citar sino algunos de los varios pasajes).

---

[13] *Ibid,* p. 37.
[14] *Ibid,* p. 76.
[15] *Ibid,* p. 96.
[16] *Ibid,* p. 94.

110

Compárese ahora con las aguas cernudianas.
Dice Cernuda en la Egloga:

> *Entre las rosas yace*
> *El agua tan serena*
> *Gozando de sí misma en su hermosura.*
> *Ningún reflejo hace*
> *Tras de la onda plena*
> *Fría, cruel, inmóvil de tersura.*
>
> RD., p. 29.

Y en la Oda:

> *Soñaba el agua y transcurría lenta*
> *Idéntica a sí misma y fugitiva.*
>
> RD., p. 37

Mientras las aguas de Garcilaso son murmurantes, corrientes, convidantes, efusivas aguas del hontanar abierto y generoso de su espíritu, en Cernuda son ensimismadas, narcisistas, quietas, soñadoras, imposibles de verterse hacia afuera, incluso crueles en su tersura. Recinto cerrado y clausurado estanque del poeta sevillano.

Hay otra coincidencia, siguiendo con las aguas. Son las que en ambos se tornan espejos. Así, en Garcilaso:

> *No soy, pues, bien mirado*
> *tan difforme ni feo*
> *que aún agora me veo*
> *en esta agua que corre clara y pura* [17],

dice Tytero en la Egloga I, lamentándose de la esquividad de su amada.

---

[17] *Ibid*, p. 74.

Y en el comienzo de la Egloga II refiere Albanio:

> ¡O claras ondas, cómo veo presente
> en vyendos, la memoria d'aquel día
> de que el alma temblar y arder se siente!
> En vuestra claridad vi mi alegría
> escurecerse toda y enturviarse [18];

En Cernuda encontramos, de manera similar, en la Egloga:

> Sobre el agua benigna,
> Melancólico espejo
> De congeladas, pálidas espumas,
> El crepúsculo asigna
> Un sombrío reflejo
> En donde anega sus inertes plumas.
>
> RD., p. 31.

O de manera igual, en la misma Egloga, hablando del agua oculta:

> Jamás esta clausura
> Su elemento desata;
> Sólo copia del cielo
> Algún rumbo, algún vuelo
> Que vibrando no burla tan ingrata
> Plenitud sin porfía.
>
> RD., p. 29.

En los textos anteriores se ve con claridad que en Garcilaso el agua, clara y pura, es sonriente espejo de la faz de Tytero, o recuerdo del momento en que el alma ardió de amor y la alegría se enturbió de cuidados amorosos.

---

[18] *Ibid,* p. 83.

En Cernuda el agua detenida es un reflejo sombrío y crepuscular de un estado de ánimo melancólico, o ensimismada, narcisista plenitud, a la que ni el reflejo del vuelo del ave la hace salir de su claustro inmóvil [19].

Como equivalencias en dimensión de paisaje, Luis Felipe Vivanco refiere [20], para mostrar que el parentesco entre ambos escritores no es meramente técnico, sino sobre todo de sensibilidad espiritual, la comparación entre una de las estancias de la Egloga II de Garcilaso, la que dice:

> *Combida a dulce sueño*
> *aquel manso rüido*
> *del agua que la clara fuente embía*
> *y las aves sin dueño*
> *con canto no aprendido,*
> *hinchen el ayre de dulce armonía.*
> *Házeles compañía*
> *a la sombra bolando*
> *y entre varios olores*
> *gustando tiernas flores,*
> *la solícita abeja susurrando;*
> *los árboles, el viento*
> *al sueño ayudan con su movimiento* [21].

con el comienzo de la Egloga de Garcilaso:

> *Tan alta, sí, tan alta*
> *En revuelo sin brío,*

---

[19] Con una interpretación similar puede consultarse: **Ana Ester Virkel**: «El simbolismo de las aguas en la poesía de Cernuda», *Revista Cuadernos del Sur*. Universidad Nacional del Sur. Bahía Blanca (Argentina), julio 1968-junio 1969, pp. 79-83.

[20] Luis Felipe Vivanco, *op. cit.*, pp. 274-276.

[21] Garcilaso de la Vega, *op. cit.*, p. 85.

La rama el cielo prometido anhela,
Que ni la luz asalta
Este espacio sombrío
Ni su divina soledad desvela.
Hasta el pájaro cela
Al absorto reposo
Su delgada armonía.
¿Qué trino colmaría
En irisado rizo prodigioso
Aguzándose lento,
Como el silencio solo y sin acento?

RD., p. 28.

No es preciso repetir las diferencias de matiz que venimos señalando.

Aún dentro del paisaje, hay que indicar la presencia de la música bucólica en ambos poetas. Avena —delgada y tímida efusión del dolorido sentir de los pastores renacentistas—, en Garcilaso; flauta —invitación a la belleza del mundo y sortilegio contra la temporalidad—, en Cernuda.

g) Otro motivo es el del llanto y las lágrimas. Inútil es reiterarlo: en Garcilaso el llanto es sencillamente apoyatura del desahogo del espíritu, después de los requiebros desdeñosos de la amada; y en sonetos, canciones, elegías y églogas, blandamente, equilibradamente, corren las lágrimas, bien que sin dolor («salid sin duelo, lágrimas, corriendo»), y sólo con recurrencia reconfortante. En Cernuda el llanto no existe. No hay lágrimas:

Y tantas lentas lágrimas de queja
El azar firme aleja
De este cuerpo sereno

RD., p. 36.

114

Tal en la Oda. Y cuando en la Elegía las lágrimas brotan, son, además de amargas, inútiles:

> *Llorando vanamente ven los ojos*
> *Ese entreabierto lecho torpe y frío*
> RD., p. 33.

En Cernuda la tensión nacida del anhelo amoroso insatisfecho no se relaja con las lágrimas. Sólo resta el hastío, la desolación, la sorda soledad.

En las técnicas:

Dejando de lado el aspecto métrico, ya mostrado, se observan algunos recursos expresivos que Cernuda lee en Garcilaso, y que él asume para su propio campo expresivo:

a) En primer término la adopción de una serie de imágenes, recibidas por Garcilaso del petrarquismo. Así, la utilización por Garcilaso del mármol, el hielo y la nieve, como expresiones de la frialdad desdeñosa, e inversamente el fuego, las llamas, la lumbre, como metáfora de la pasión amorosa, sufre en Cernuda variación. El mármol, utilizado dos veces; en la Elegía:

> *¿Vive, o es una sombra, mármol frío*
> *En reposo inmortal, pura presencia*
> *Ofreciendo su estéril indolencia*
> *Con un claro, cruel escalofrío?*
> RD., p. 32.

y en la Oda:

> *De mármol animado, quiere y siente.*
> RD., p. 34.

En ambos casos es símbolo de lo apolíneo, de la distancia infinita, gélida, del amado imposible o del joven dios, como tal dios, pero quebrada por un temblor humano que lo anima.

La nieve en Cernuda es relámpago, bajo la luz difusa de tan alta. La luz, al acrisolarse en nieve, conviene a la suma belleza altísima. Utiliza en idéntico sentido el diamante.

Y las llamas, el fuego, más califican en Cernuda al estío que al anhelo amoroso adolescente, sumido en indolencia y penumbra. Las llamas saltarán, despechadamente, en la serie de poemas: *Donde habite el olvido.*

b) La fórmula: «el dulce lamentar de dos pastores», o «el dulce murmurar deste ruydo», paralela al «tierno lamentar» cernudiano en la Oda.

c) La utilización de enumeraciones de tres miembros, y preferentemente de tres adjetivos, dentro de los versos.

Así Garcilaso:

> *en la fría, desierta y dura tierra*

o

> *acerbo, triste, ayrado fue vencido*

y Cernuda:

> *adolescente, esbelta, fugitiva*

o

> *vivo, bello y divino.*

116

d) Y por supuesto, para no repetir, las técnicas asimismo propias de la fórmula clasicista: elipsis de verbo, hipérbaton, frases nominales, fuerte adjetivación, constantes encabalgamientos...

En resumen, estructuras, temas y técnicas garcilasistas asumidas como ampliaciones de las tímidas configuraciones subjetivas de los breves poemas de *Perfil del aire,* pero sin enajenar los motivos radiales del canto, aunque en la ampliación clasicista esos motivos queden desprovistos de subjetividad adolescente, en favor de una reflexión distanciadora y de una órbita imaginativa más poderosas.

IV. CERNUDA, DENTRO DEL SURREALISMO ESPAÑOL

El movimiento surrealista español

El largo silencio a que la crítica sometió al movimiento surrealista español, y no sólo la contemporánea, sino incluso la cercana a él, ha venido a romperse en estos últimos años con estudios que, si no completos, apuntan ya una posibilidad de valoración y de determinación de claves que lo desvelan. Esta floración de trabajos, a la que seguirán muchos más, está motivada sin duda por la vuelta del arte mundial a fórmulas irracionalistas.

El primer análisis al respecto, después de la guerra civil, fue el publicado por Manuel Durán, en la universidad de Méjico [1]. Su título es: *El superrealismo en la poesía española contemporánea*. Siguió, en 1953, el de J. E. Cirlot, poeta surrealista él mismo, y cuyo título es: *Introducción al surrealismo* [2]. Y un año después, aparece el volumen colectivo de los escritores valencianos José Albi y Joan Fuster, con estudio crítico y Antología, elaborado para la revista de poesía *Verbo*, de

---

[1] Manuel Durán: *El superrealismo en la poesía española contemporánea*. México, 1950. Universidad Nacional Autónoma. Facultad de Filosofía y Letras.

[2] J. E. Cirlot: *Introducción al surrealismo*. Madrid, 1953.

Alicante[3]. Este texto constituye una denuncia de los insinceros lamentos neoclásicos coetáneos y constituye, según Bodini, una *rara avis*.

Y como trabajos más especializados y definitivos se ha de reseñar en primer término el de Vittorio Bodini: *I poeti surrealisti spagnoli*[4], publicado en Italia, donde a una magnífica introducción, recientemente publicada en castellano por separado[5], siguen colecciones concienzudamente seleccionadas de poemas, y en el que, entre otras cosas, se redescubre un importante eslabón con el surrealismo francés en la figura del poeta Juan Larrea; y los más recientes: *The Surrealist Mode in Spanish Literature*[6], publicado inicialmente en la universidad de Michigan (USA); y muy por encima de todos los demás el inigualable trabajo de C. B. Morris: *Surrealism and Spain*, publicado en la universidad de Cambridge[7].

En todos ellos está presente la intención de definir y aislar la modalidad específica del surrealismo español, diferenciándolo de su más cercano colindante: el francés.

Que tal movimiento obtuvo una cierta singularidad en nuestro país nos lo muestran varios hechos posteriores.

---

[3] J. Albi y Joan Fuster: *Antología del surrealismo español*. *Verbo*. Alicante, 1954.

[4] Vittorio Bodini: *I poeti surrealisti spagnoli*, Saggio introduttivo e antologia. Editorial Einaudi. Turín, 1963.

[5] En España se ha traducido el ensayo «introductivo», con el título «Los poetas surrealistas españoles», en *Cuadernos Ínfimos*. Tusquets Editor. Barcelona, 1971. (Citamos por este último).

[6] Paul Illie: *The Surrealist Mode in Spanish Literature*. The University of Michigan Press. 1968.

Traducido recientemente con el título *Los surrealistas españoles*. Taurus. Madrid, 1972.

[7] C. B. Morris: *Surrealism and Spain*, 1920-1936. Cambridge University Press. London, 1972.

En primer término, la negativa incesante de cada uno de los miembros del movimiento a calificarse como surrealista (en el estricto sentido gálico del vocablo). (Vicente Aleixandre, en la reciente introducción a su *Poesía surrealista,* publicada en Barral Editores en 1970 [8], escribe en una nota preliminar: «Alguna vez he escrito que yo no soy ni he sido un poeta estrictamente superrealista, porque no he creído nunca en la base dogmática de ese movimiento: la escritura automática y la consiguiente abolición de la conciencia artística. ¿Pero hubo, en este sentido, alguna vez, en algún sitio, un verdadero poeta superrealista?»)

En segundo lugar, la oscilación semántica del término, como ya hemos visto en Aleixandre. Superrealismo, suprarrealismo, surrealismo, infrarrealismo, y después, con Dámaso Alonso, hiperrealismo, aunque en la sinonimia existan variaciones de matiz.

En tercer término, el chauvinismo que existía en aquellos momentos, en orden a afirmar lo verdaderamente genuino, frente a lo superficial, frívolo y de evanescente erotismo, radicado en París. A este respecto, es bien aleccionadora la anécdota que cuenta García Lorca, en «Teoría y juego del duende» [9]. Una muy singular "cantaora" de flamenco, la Niña de los Peines, que actuaba una noche en una taberna de Cádiz, fingiendo con toda suerte de habilidades y trucos, pero sin estar en posesión de la raíz y fuego originarios del cante, fue vitoreada por uno de los asistentes con el grito: «¡Viva París!». El grito hizo que la cantante, *ipso facto,* se pusiera a cantar con auténtico duende.

---

[8] Vicente Aleixandre: *Poesía surrealista.* Barral Editores, 1970. Introducción.

[9] Federico García Lorca: «Teoría y juego del duende». Obras completas. Decimosexta edición, 1971, p. 112.

Que existió un verdadero surrealismo en España, y que fue autónomo, aunque utilizara como materiales previos muchos de los atribuidos a los franceses, es fácil corroborarlo con hechos cuya pormenorización y análisis ha hecho de manera magistral el profesor inglés ya citado C. B. Morris. Y más si, en lugar de restringirnos a una concepción del surrealismo como una *manera,* tal como Breton quiso pontificar en su segundo manifiesto de 1930, cuando anatematiza a algunos miembros, por pretendida falta de pureza, nos atenemos al vasto movimiento cultural europeo que cae bajo circunscripciones definitorias más amplias, que lo engloban a todo él, sin por eso perder precisión.

Nos atenemos a la definición de surrealismo tal como la emite R. Poggioli, y que P. Ilie recoge en su trabajo antecitado [10]. Dice Renato Poggioli en su *Teoría dell'arte d'avanguardia* [11], que surrealismo y dadaísmo no son otra cosa que la tercera ola de una serie de movimientos estéticos que atraviesan Europa después de la decadencia del naturalismo. Señala que la característica del surrealismo es interna: el cultivo de estados oníricos, la corriente de conciencia y la violencia síquica de todas clases. Para Poggioli, el principio dogmático de la escritura automática de Bretón no es otra cosa que una forma metafórica de sugerir métodos diferentes de liberación sicológica, mediante la expresión. Asimismo señala el vitalismo síquico-biológico, como característica surrealista. Y como datos fundamentales, el surrealismo ha desarrollado un intrincado repertorio de géneros y técnicas. Ha cultivado fórmulas artísticas nuevas, ha transformado temas y ha representado la metamorfosis de los objetos por medio de una técnica radicalmente diferente: la identificación de la visión esté-

---

[10] Paul Illie, *Op. cit.,* p. 14.
[11] Renato **Poggioli**: *Teoría dell'arte d'avanguardia.* Bolonia, 1962.

ica con el estado onírico. Para Poggioli la poética del sueño es el principio más importante de la modalidad surrealista. Es la premisa de toda obra, al margen de o superficial de la fantasía de ella. (Bien se ve la deuda de Poggioli en su interpretación, para con la obra iluminadora de Gastón Bachelard.)

Así pues, el surrealismo es una modalidad estética que inicialmente recibió su nombre en Francia, pero presente en Europa en todas las artes: pintura, literatura, teatro, ballet, música, cine. Su origen no está en unos manifiestos, sino en la condensación en formas de arte de tendencias irracionales presentes en la historia estética europea. Por ello, se puede hablar en Francia de antecedentes: Lautréamont, Baudelaire, lo mismo que en Inglaterra: Blake, Hogarth, o en España: Quevedo y Goya.

En tal sentido hay que entender la existencia de una tendencia surrealista en la poesía española, obstaculizada, como muy bien ha visto Bodini [12], por la relación más fuerte de la conciencia generacional. Así, de los poetas, sólo Larrea se define nítidamente francés. Aleixandre, Alberti, Lorca, no hablan de surrealismo, o hablan en contra. Aleixandre, definiéndose como irracionalista, en el sentido europeo de Rimbaud, Freud, Joyce. Alberti, declarando que escribe su *Sobre los ángeles,* para protestar de un montón de cosas, entre ellas los frívolos escándalos de París. Y Lorca no hablando en ninguna de sus múltiples intervenciones y declaraciones, del surrealismo. Su amistad con los poetas puros —Salinas, Guillén—, sus mutuas preferencias, el proclamar sobre todo la defensa de la tradición literaria, Góngora a la cabeza, es más que lo que en ellos había de evidente influencia francesa.

Que existió tal influencia lo han probado documen-

---

12 V. Bodini: *Op. cit.,* p. 11.

talmente con creces V. Bodini y C. B. Morris. Bodini polemiza con Dámaso Alonso, que niega que exista surrealismo, en vez de hiperrealismo, basándose en dos argumentos:

a) La ignorancia del surrealismo francés por parte de los españoles.

b) El hecho de que el hiperrealista *Canciones,* de García Lorca, esté compuesto entre 1921 y 1924 y, por tanto, anterior a la aparición del primer manifiesto de Bretón, en 1924 [13].

Tales argumentos son documentalmente destrozados por Bodini y, de rechazo, por Morris. Una vasta lista de revistas y artículos, amén de conferencias dadas por los propios franceses en España, muestra que los poetas españoles estaban muy al tanto de lo que pasaba fuera. Así, para no citar sino algunas de esas fuentes, cuyo detalle está en parte, en Bodini, y mucho más pormenorizado en Morris, recogemos:

a) Escritos de los surrealistas franceses publicados en castellano o catalán en revistas españolas entre 1918 y 1936:

1. De Luis Aragon:

— Poema «Días de invierno virutas», del libro *Feu de joie,* en la revista *Cervantes,* mayo 1919, p. 99.
— El poema «Estatua», en la revista *Grecia,* 10 de diciembre de 1919, p. 4.

[13] Dámaso Alonso: *Poetas españoles contemporáneos.* Madrid, Gredos, 1958, pp. 167-192.

— El poema «Un organillo empieza a tocar en el patio», en la rev. *Octubre,* 2, julio-agosto 1933, pp. 16-17.

2. De Jacques Baron:

— Poema «*Futur*», del libro *L'Allure poétique,* en la rev. *L'Amic de les Arts,* núm. 10, enero 1927, p. 4.

3. De André Breton:

— Poema «Lafcadio», en la rev. *Grecia,* 10, diciembre 1919, p. 4.
— «Texto super-realista», de *Le Revolver a cheveux blancs,* en la rev. *Alfar,* núm. 58, junio 1926, página 17.
— «Poisson soluble», en la rev. *Hélix,* febrero 1929, página 8.
— «La unión libre», en la rev. *Gaceta del Norte,* núm. 35 (septiembre 1935), p. 2.

4. De André Breton y Paul Eluard:

— «Ensayo de simulación de la parálisis general», en la rev. *Gaceta de Arte,* núm. 35, septiembre 1935, p. 2.

5. De Robert Desnos:

— «*A l'impar de la nit*», del libro *Poemes a la mysteriuse,* y «*¡O dolors de l'amor!*», en la revista *L'Amic de les Arts,* núm. 10, enero 1927, p. 4.

6. De Paul Eluard:

— «Joan Miró», «Nuesa de la veritat», y «Marx Ernst», en la rev. *L'Amic de les Arts,* núm. 10, enero 1927, p. 4.
— «El amor la poesía», traducción de Cernuda, en rev. *Litoral,* núm. 9, junio 1929, pp. 28-39.
— «La evidencia poética», en la rev. *Gaceta de Arte,* núm. 35, septiembre 1935, pp. 1-2.
— «La frente cubierta», *Gaceta de Arte,* núm. 36, octubre 1935, p. 4.

7. De Benjamín Péret:

— «La sangre derramada», «Cuatro años después del perro», «Fuente», «Hola», «Háblame»; en la revista *Gaceta de Arte,* núm. 36, octubre 1935, p. 4.

8. De Philippe Soupault:

— «Poema cinematográfic. Indiférencia», en la revista *Trossos,* núm. 4, marzo 1918.
— «Servidumbres», en la rev. *Grecia,* 10, diciembre 1919, p. 4.
— «La hora del té», en la rev. *Grecia,* 30 de abril de 1919, p. 13.
— «Recordaciones», en la rev. *Grecia,* 10 de junio de 1919, p. 8.

b) Poemas surrealistas en francés publicados en revistas españolas entre 1920-1936:

1. Robert Desnos:

— «Quel fouillis!», en la rev. *Caballo Verde para la Poesía,* núm. 1, octubre de 1935.

2. Paul Eluard:

— «Entre peu d'autres», en la rev. *Alfar,* núm. 58, junio de 1926, p. 17.

c) Conferencias dadas en España por los surrealistas entre 1920-1936:

1. André Breton, en el Ateneo de Barcelona, el 17 de noviembre de 1922, con el título: «*Caractères de l'evolution moderne et ce qui en participe*».

2. Louis Aragon, en la Residencia de Estudiantes, Madrid, el 18 de abril de 1925, con el título: «*Fragments d'une conférence*».

3. René Crevel, en Barcelona, el 18 de septiembre de 1931: Cf. «*Le Surrealisme au Service de la Révolution*», núm. 3, diciembre de 1931, pp. 35-36.

4. André Breton: En el Ateneo de Santa Cruz de Tenerife con el título: «Posición política del arte de hoy», 11 de mayo de 1935.

Todo esto por lo que respecta a la presencia de los surrealistas franceses en España. Pero también los españoles se aplicaron a difundir las teorías transpirenaicas:

a) Al margen de las traducciones de Lautréamont y Rimbaud, y de la traducción del manifiesto de T. Tzará, un año después de su emisión en Zurich, por la revista *Cervantes,* Huidobro dio a conocer a Gerardo Diego la teoría de la imagen de P. Reverdy.

b) En 1924 Fernando Vela publica en *La Revista de Occidente* un artículo sobre el surrealismo francés [14].

c) En 1925, la misma *Revista de Occidente* publica el manifiesto surrealista de Breton [15].

d) Este mismo año, Guillermo de Torre dedica en su libro sobre las vanguardias europeas sendos capítulos a dadaísmo y surrealismo [16].

e) Bergamin y Arconada publican, en el mismo año, sendos artículos sobre el tema [17].

f) *La Revista de Occidente* proporciona suscripciones a «*Revolution surrealiste*», y a libros de Breton, Aragon, Eluard.

g) La obra de Azorín: «Brandy, mucho brandy», se estrena el 17 de marzo de 1927.

h) En 1928, en la *Gaceta Literaria,* publica Luis Montanyá un artículo sobre el superrealismo francés.

---

[14] Fernando Vela: *El suprarrealismo,* «Revista de Occidente», vol. VI, núm. XVIII, 1924.

[15] A. Bretón: *Manifiesto surrealista,* «Revista de Occidente». Madrid, 1925.

[16] Guillermo de Torre: *Neodadaísmo y superrealismo,* «Plural», año I, núm. I. 1925. Recogidos como capítulos en *Literaturas europeas de vanguardia.* Madrid, 1925.

[17] C. M. Arconada: *El superrealismo español,* «Alfar», número 47. Febrero, 1925.

J. Bergamín: *Nominalismo supra-realista,* «Alfar», núm. 50. Mayo, 1925.

Azorín publica dos capítulos de su inminente novela *Superrealismo* [18].

i) Se exhibe en Madrid, por vez primera, el film: *Le chien andalou.*

Todos estos hechos y documentos prueban, contra Dámaso Alonso, que los poetas españoles estaban al día en su conocimiento de la estética vanguardista francesa. Pero de ellos, a pesar de su abundancia, no se ha de inferir que el surrealismo español no fue otra cosa que una copia directa del francés. Antes se ha dicho: toda esta información aporta materiales nuevos y ángulos nuevos para captar una realidad dada. Pero la síntesis hecha por los artistas españoles es autónoma y original. Y no se ha de excluir en tal autonomía (polemizando con Ilie) a autores como Larrea, Hinojosa y Cernuda. No es ocasión de estudiar a Hinojosa y Larrea, que lo único que hacen es ofrecer surrealismo español en bandeja francesa. Lo que nos importa es mostrar el carácter autónomo en dirección española, de la poesía surrealista de Cernuda, o, como dice Harris, su fidelidad poética.

Vengamos en un primer estadio de la muestra a determinar cuáles son las notas del surrealismo español, y sus diferencias con el francés.

Para Bodini no existe un surrealismo específico, específicamente español, en el sentido en que sí hay una escuela francesa. En España, según él, prima el aspecto generacional sobre el surrealista. Pero él mismo, a continuación, valora la posibilidad de un estudio del surrealismo español, mediante el análisis de las alterna-

---

[18] Luis Montanyá: *Superrealismo,* «La Gaceta Literaria», número 28. Febrero, 1928.

Ibid. Punts de vista sobre el superrealisme, «L'Amic de les Arts», núm. 26. Junio, 1928.

tivas poéticas de algunos de los miembros, y su mayor o menor fidelidad en la utilización de las técnicas surrealistas: profecía, sueño, humor negro, satanismo, ironía, objetos surrealistas, cadáveres exquisitos.

Para C. B. Morris [19], en la conclusión de su trabajo, el surrealismo español es obra autóctona, aunque materiales, técnicas, intenciones tengan origen muchas veces foráneo. Son el trampolín para que el artista, utilizando una metáfora del propio Cernuda [20], salte hacia una obra personal. Así se han de entender.

La primera técnica empleada por los poetas españoles —y en ella conectan con los franceses, aunque las motivaciones de tradición literaria sean diferentes— es la escritura automática. A partir de los primeros textos publicados en 1919 por Breton y Soupault, titulados «Champes magnetiques», quedó definida y delimitada la técnica:

«Automatismo síquico a través del cual nos proponemos expresar, sea verbalmente, sea por escrito, o bien de otra forma, el funcionamiento real del pensamiento. Dictado del pensamiento, en ausencia de toda clase de control, fuera de toda preocupación estética o moral» [21]. Automatismo que no es puro. Lo dice el propio Breton:

«Nunca hemos pretendido dar un texto surrealista cualquiera como ejemplo perfecto de automatismo verbal. Incluso en el mejor texto no controlado se advierten, hemos de reconocerlo, ciertas resistencias. En general, un mínimo de control subsiste, en el sentido del equilibrio poético» [22].

---

[19] C. B. Morris: *Op. cit.*, p. 160.

[20] L. Cernuda: *Vicente Aleixandre*, «Orígenes», núm. 26, VII, 1950. La Habana.

[21] A. Bretón y Philippe Soupault: *Champes magnetiques*, Rev. «Littérature», París, 1919, p. 38.

[22] André Breton: *Segundo manifiesto surrealista*. Ediciones Nueva Visión. Buenos Aires, 1965, p. 87.

Como bien señala Bodini, la literatura española utiliza el automatismo en el segundo sentido, es decir, en el que el poeta se decide a reorganizar el material irracional, pero lejos ya de la hipérbole gongorina. Bodini y Morris suministran múltiples ejemplos de ese automatismo, y podemos dar, como adelanto, uno del propio Cernuda:

> *En un mundo de alambre*
> *Donde el olvido vuela por debajo del suelo,*
> *En un mundo de angustia,*
> *Alcohol amarillento, plumas de fiebre,*
> *Irá subiendo a un cielo de vergüenza,*
> *Algún día nuevamente surgirá la flecha*
> *Que abandona el azar*
> *Cuando una estrella muere para olvidar su*
> [*sombra.*
>
> RD., p. 62.

Otra de las técnicas propias de ese surrealismo es la emancipación métrica, con la destrucción de la forma en versos largos y versículos, exaltando paralelamente los contenidos. Contenidos históricos que empujan de sí nuevas formas contra las antiguas. O sea, un sometimiento de la forma al contenido, inversamente a Valéry y la poesía pura. Lorca y Alberti son ejemplos máximos de libertad métrica. En Lorca se salta de repente de los claroscuros del octosílabo popular a los largos versos irregulares, frenéticos y agresivos de *Poeta en Nueva York*. El verso más largo está en «Paisaje de la multitud que orina»:

«y para que se quemen estas gentes que pueden orinar alrededor de un gemido».

O en el libro *Sobre los ángeles,* de Alberti, donde de los versos monosílabos y la formas hexa o heptasilábicas se pasa a los versos largos del final del libro:

133

«y me mataréis esta mala palabra que voy a pinchar sobre las tierras que se derriten».

En *Sermones y moradas* hay versos que llegan al centenar de sílabas. Larrea llega a versos de treinta y una, Gerardo Diego, veintisiete; Cernuda, dieciocho; Moreno Villa, diecinueve; Prados, treinta y cinco. En algunos poemas se alargan hasta convertirse ya en prosa, por ejemplo, en *Pasión de la Tierra* o *Los placeres prohibidos*.

Los conductos de tal innovación métrica se deben, sobre todo, a Larrea, a Eluard y a Neruda. (Amado Alonso y L. Spitzer han visto la ecuación entre lo informe de la poesía del chileno y lo informe de la realidad. Spitzer, viendo la relación caótica de imágenes surrealistas sin relaciones espirituales o sintácticas, descubre cómo la desarticulación de las cosas, combinada con la desarticulación del yo, multiplica y deforma la enumeración de series de cosas, amontonadas desde los ángulos de su alma. La influencia de Neruda no se detiene en la métrica. Enumeraciones caóticas existen en Lorca, Cernuda, Aleixandre.)

Otra de las técnicas es la búsqueda de nuevos lenguajes, otros medios que obliguen a manifestarse al mundo subliminar. Cine subrrealista, dibujos en color, collages.

Otra técnica son los juegos algo truculentos. Juegos como en de los *putrefactos* (contra los tradicionales en el arte), la gallina, la bestia, etc. [23].

P. Ilie, buceando en lo que en el surrealismo es autóctono, y en lo que le debe a la tradición española, traza un cuadro aceptable de técnicas y modos propiamente españoles.

Explica el investigador norteamericano con acierto, a través de la interpretación de los primeros planos, o pri-

[23] V. Bodini: *Op. cit.*, p. 42.

mera secuencia del film *Le chien andalou,* cuál es la vía de transformación de la realidad del surrealismo español. Dos secuencias: primera, la luna de noche en el momento de ser eclipsada en el paisaje de una nube; segunda, un ojo humano en el momento de ser seccionado por la hoja de una navaja. Representan ambas escenas simbólicamente el eclipse del romanticismo provocado por una nueva estética. La luna y el ojo son lo tradicional del arte (luna = romanticismo), y lo tradicional de la realidad (ojo = percepción sensorial). Naturaleza y luna del conocimiento humano son deformados y oscurecidos por una técnica de mutilación, que es cometida por un acto absurdo. Es obra de una nueva sensibilidad que da imágenes disyuntivas.

La hoja de la navaja, en sí misma, es un instrumento de precisión que sirve al proceso de deshumanización. No sólo destruye el equilibrio de la perspectiva humana, sino que aliena al artista de su propia eficacia técnica. Aquí está la separación entre romanticismo y surrealismo: en el romanticismo, las emociones violentas y pacíficas están ligadas a la experiencia personal. En el surrealismo, la distancia y la indiferencia interfieren en la percepción subjetiva de cualquier estado de ánimo, sereno o violento. El surrealismo es dislocación y objetivación.

P. Ilie comienza por afirmar que el surrealismo es la superación del posromanticismo, modernismo, impresionismo y simbolismo, que llevó a sus últimas consecuencias Juan Ramón Jiménez. Juan Ramón, cuyo tema, para Ilie, fue la reconciliación del mundo natural con el subjetivismo absoluto del poeta, permaneció fiel a él hasta 1958, fecha de su muerte. Machado, en cambio, desfiguró el modernismo en un muy personal y expresionista realismo, con gotas grotescas. Valle Inclán desembocó, desde el inicial modernismo, en el esperpentismo.

135

Juan Ramón, amenazado de surrealismo, supo muy bien reparar las grietas de su modernismo, mientras que los demás experimentalistas de la vanguardia las ensancharon hasta echar abajo el edificio.

Los surrealistas dudaban de la veracidad de sus sentimientos y de la percepción de la realidad. Sus obras revelaban la distorsión de su mundo relativista. Juan Ramón nunca sufrió de esta actitud autodestructiva. No perdió la confianza en la pureza de sus sentidos y emociones. La técnica de Juan Ramón, a diferencia del surrealismo, era simplemente la forma exterior de una belleza elusiva, pero más sustancial. Para Juan Ramón Jiménez las deficiencias en la acción había que achacárselas a la insuficiencia del instrumento formal, no a las intuiciones de su paisaje anímico. Los surrealistas se sentían inseguros acerca de cómo evaluar los datos sensoriales que recibían del mundo externo. Más, se sentían inseguros de la validez de sus vidas personales. Por consiguiente, había poco romanticismo en tales autores, exceptuando Aleixandre (neorromanticismo con métodos surrealistas) y dejando para estudio Cernuda.

Sufriendo las mismas crisis que Juan Ramón, los surrealistas no supieron resolverlas, y en lugar de perfeccionar la norma estética, la deformaron. En vez de volverse hacia dentro a buscar consuelo para su fiebre y pesadilla, proyectaron su estado febril sobre un medio más objetivado (y más deformado), que el modernista. Juan Ramón eliminó la pesadilla, el mal sueño del artista actual; los surrealistas alimentaron la pesadilla. Muchos son los poemas que delatan la ruptura sicológica de Juan Ramón Jiménez, pero en los últimos años de su vida se puede apreciar que la fisura fue reparada: en su fusión de dos realidades, yo y naturaleza, tuvo lugar un trastorno que fue mitigado, y alcanzó la unificación.

En los poemas que expresan la duda, hay una propensión a la violencia que Juan Ramón logra dominar. Los surrealistas, en cambio, que habían sido discípulos, se separan en esto. Los surrealistas se libraban de la inseguridad transformando la burla de sí mismos en una actitud de ironía hacia el mundo externo. Dice Ilie: en vez de consumirse en la angustia, desahogaron sus frustraciones sobre elementos más objetivos de la realidad. En su liberación emocional fue destructiva, pero tomó una forma sublimada, mientras Jiménez continuó viendo su angustia a través del subjetivismo de las imágenes que reflejaban el yo. Usó sus poemas para perpetuar su hermetismo desenfrenado, mientras los surrealistas, por el contrario, liberaron su imaginería de todos los lazos reconocibles con su sentimiento personal.

La confrontación de los poemas en prosa escritos en Nueva York por Juan Ramón, y el *Poeta en Nueva York,* de Lorca, dejan esto patente. Aquella realidad, potencialmente surrealista, es tocada de pasada por Juan Ramón, pero para toda aquella pesadilla de cansancio y de tristeza tan sólo halla como remedio la rosa blanca en manos de la mujer negra.

En contraste con tal blancura, Lorca no se hace olvidadizo frente al material metropolitano, presuntamente surrealista. Lorca, emocionalmente distanciado, aceptó la independencia de tal realidad con el respeto de un poeta no perturbado por el egoísmo romántico.

La distorsión surrealista de la realidad es una proyección del yo deformado del artista, así como la idealización de la naturaleza entre los románticos era un reflejo de sus «yo» interiores. El surrealista enfrenta a su mundo desde una condición castrada, y representa este estado desde la violencia de su arte. Al mutilar la realidad, prolonga su yo mutilado, desesperadamente frustrado, por los medios estéticos a su disposición. Las alas cortadas y tijeras de Aleixandre, la decapitación del cornetín de débil aliento de Machado, el pene atravesado por una aguja de Lorca, se dirigen en ese sentido.

Según Ilie, es más importante en la concepción surrealista el tratamiento de la realidad. El tumulto sensorial y sensual, el regocijo en ese tumulto, propio de los postrománticos, se convirtió en goce de la materia por sí misma en el surrealismo. Disminuyeron la función del color y apenas relacionaron las funciones de la línea y el espacio al elemento humano en la realidad. Es la noción de la materia pura, que triunfa sobre los sentidos.

Al evadirse de los límites sistemáticos de la sensibilidad humana, al divorciar realidad y sentidos, el surrealista obtiene licencia para explotar otras regiones de la percepción: las técnicas paranoicas de Solana, Lorca y Dalí. Una vez que las limitaciones de la información sensorial fueron eliminadas, el surrealismo dejaba de lado la realidad. Inventar sin referencia a los datos de los sentidos. En las técnicas va desde el encadenamiento de lo inconsciente a la utilización de cuentos de hadas y literatura infantil.

La estética goyesca negra, la de lo grotesco, el esperpentismo. La estética de lo grotesco es una de las categorías surrealistas. Lo grotesco en Valle, como principio deshumanizador, o en Machado, como contestación irónica al desmoronamiento modernista.

La pesadilla se apoya en un detallado repertorio de elementos. El primero, el resultado de un descenso simbólico. Así Aleixandre, Jarnés, Azorín. Este descenso no es autoanálisis freudiano, sino separación de lo sensorial modernista y del compromiso social.

La segunda característica de la pesadilla surrealista es la salida de la sumersión. Incongruencia, disparidad entre emociones y fenómenos. De la perturbación del sentimiento mediante la abstracción y el geometrismo se llega a la degradación de la vida humana mediante la confusión de lo animado e inanimado, o la confusión entre tecnología y funciones humanas. Y más allá de este estadio de dislocación emocional está el absurdo, la disgregación de fenómenos y conceptos sometidos antes a lógica.

Una tercera característica de la pesadilla es la aniquilación del tiempo. Para el surrealista la temporalidad es insignificante.

Tales rasgos de la pesadilla presentan una paradoja. Los surrealistas, apartándose de la organización lógica de la realidad, toman, sin embargo, una actitud social. La distorsión surrealista tiene sus raíces en la conciencia social. Y en realidad, el regreso de todos los surrealistas hacia formas histórico-sociales, tiene un sentido ya anterior.

En el surrealismo español se expresó el impacto de la ciudad sobre el artista. Su experiencia urbana fue impura y traumática.

Y por fin el surrealista usa el hecho de la absurdidad, pero no trata de vencerla. La literatura del surrealismo español, en consecuencia, está dislocada del tiempo, la emoción, la causalidad y los sentidos. Su aislamiento de los colegas franceses, y de la historia de la literatura (en cuanto a actitud), les concede una posición marginal similar a su dislocamiento estético. Y aquí difieren del absurdo existencial posterior.

En lo que toca a las referencias entre las escuelas surrealistas española y francesa, veamos en muy sumaria síntesis, en qué consistió el surrealismo francés. Resumiendo con J. H. Matthews [24] que una primera nota de esa escuela es su directa procedencia del dadaísmo, y se diferencia de él por su carácter revolucionario. Los surrealistas cultivaron lo maravilloso y la magia, como

---

[24] J. H. Matthews: *An introduction to Surrealism.* University Park, 1965.

parte de una búsqueda general de una revelación, expresada en escritos apocalípticos. El surrealismo intensifica aspectos del mundo desacreditados: obsesión, erotismo. Entre el surrealismo francés literario y el pictórico hay un íntimo vínculo.

Vemos así las diferencias entre surrealismo francés y español. La primera es la posición ante el romanticismo. Breton reconoció su deuda para con él. Sir Herbert Read [25] considera al surrealismo francés como un estadio último de romanticismo, es decir, de creación, liberación e introversión. El surrealismo español no prolongó las líneas románticas. Violencia alterada, dislocación de emociones, pérdida de todo interés por la naturaleza, lo caracterizan. Sueño y ensoñación se transforman en algo caótico, grotesco y absurdo.

La segunda diferencia entre las dos modalidades, involucra el misticismo y la búsqueda de lo absoluto. La lucha por una realidad misteriosa e inefable más allá de este mundo pertenece a la tradición de las experiencias sobrenaturales y ocultistas, descritas por los franceses en los últimos cien años. En los españoles no aparece tal misticismo. La fusión de experiencia externa e interna, real e imaginaria, consciente e inconsciente, natural y sobrenatural, la lograron dentro de su visión surrealista, sin buscar más allá.

El surrealista pone énfasis en los nuevos usos de la memoria, y sobre medidas antiemocionales y antihumanas, tales como la suspensión de la ley natural y la destrucción del lenguaje convencional. Para los surrealistas españoles estas dos notas no son definitivas. Las leyes de sensación y de causa a efecto son volteadas en orden a obtener una nueva surrealidad mediante los instrumentos tecnológicos.

---

[25] Sir Herbert Read: *Surrealism and the Romantic Principle*, «The Philosophy of Modern Art. Londres, 1952, pp. 105-141.

Se dan evidentemente unas notas comunes entre el surrealismo francés y el español. En primer término están los llamados procesos sicológicos freudianos, que llevan a la libre asociación, hipnosis, alucinación, estados hipnagógicos, etcétera. Los efectos literarios se manifiestan en las imágenes extrañas y el humor negro, y el objetivo es en último término el de recobrar la libertad total de la naturaleza humana. En España se dan igualmente, pero no como una aplicación freudiana sino como parte de un fondo general de posibilidades estéticas que el artista puede seleccionar. Y también un grado superior de violencia y de neurosis. Prima en España la violencia: *Poeta en Nueva York,* sobre la fantasía benigna: Gómez de la Serna.

Como segunda nota coincidente está la concepción del amor. La exaltación erótica ausente de toda moralidad, y extendiendo el amor en forma de pasión como esperanza.

Una nota tercera y básica es la conciencia social. Los surrealistas franceses se habían separado del dadaísmo, precisamente por problemas políticos. En España, aunque los escritores no sean políticos, sin embargo, en su obra va un grado poderoso, una carga directa o indirecta de crítica social [26].

La posición de Cernuda dentro del movimiento surrealista

Quienes han descrito sobre el entendimiento concreto que Luis Cernuda tuvo del surrealismo —Bodini, Ilie

---

[26] Después de los años treinta, la posición política de los surrealistas españoles se bifurcó. Lorca, Alberti, Cernuda, Arconada, optaron por la causa popular e incluso se afiliaron al partido comunista. Otros fueron tan sólo republicanos. Las revistas «Octubre» y «Hora de España» fueron los órganos de expresión de las dos tendencias.

Harris, y particularmente Müller y C. B. Morris—, han visto de manera dispar el alcance, dentro de la trayectoria poética del sevillano, del movimiento estético a que en este capítulo nos referimos.

P. Ilie, en un apéndice a la edición española de su libro tantas veces citado [27] estudia a Cernuda y a J. M. Hinojosa como ejemplos típicos de poetas que siguieron al pie de la letra las consignas del movimiento surrealista francés, sin atender a la tradición deformante de la literatura castellana anterior. Y diciendo que son sólo las notas superficiales del movimiento las que Cernuda capta, escribe:

«Por otro lado, poetas como Cernuda e Hinojosa parecen reflejar los valores superficiales del surrealismo, esos aspectos que son más prontamente identificados con la escuela francesa 'oficial', sin ser sintomáticos de circunstancias personales o nacionales. Es como si la fórmula básica para practicar la estética surrealista tuviera que ser dispensada por París y asimilada por algunos poetas españoles por razones de composición y técnica» [28].

Señala a continuación Ilie, sin embargo, y en esto sí que acierta, que Cernuda no por ello es artificial o insincero, ni que el surrealismo quiebre su profundidad de sentimiento. En este sentido Cernuda es surrealista sólo en la medida en que tiene que satisfacer sus necesidades compositivas.

Ilie indica con ponderación que Cernuda utiliza el surrealismo para ampliar las dimensiones de su poesía. La utilización, a la vez física y abstracta del espacio, convirtiendo en contorno emocional la simple descripción volumétrica, lo determina.

Asimismo, Ilie, en una tercer nota esquemática a ese pretendido surrealismo francés de Cernuda, afirma,

[27] P. Ilie: *Op. cit.*, pp. 291-315.
[28] P. Ilie: *Op. cit.*, p. 294.

como contraste, que otras prácticas dentro de los libros surreales *Un río, un amor,* y *Los placeres prohidos,* caen dentro de la dirección original, de sus compatriotas. Así, la utilización del color reduciéndolo y sometiéndolo a tonos desvaídos, proceso de monocromatismo correspondiente a la palidez filosófica, anunciada por motivos tales como estrellas apagadas o amortiguadas, objetos naturales con un matiz de ceniza y alusiones a la vida extinguida. Para Ilie todo esto se dirige en la intención de expresar un abatimiento romántico. La atmósfera se transforma suavemente en un malestar de incongruencias, un estado de ánimo transfigurado metafóricamente, y corroborado un verdadero propósito del tratamiento del color.

Los puntos de vista de Ilie no son quizá todo lo precisos que sería de desear. Ni Cernuda es un imitador del surrealismo oficial francés, ni el surrealismo francés obedece a motivaciones superficiales. Entra el propio Ilie en contradicción consigo mismo cuando admite la profundidad de sentimiento en Cernuda, sentimiento que no es precisamente romántico, tal como otros lo han entendido, hablando del poeta, sino progresivo y ampliado, en el sentido en que ya desde el primer libro venimos viendo.

En esa dirección sí es acertada la observación de Ilie, de la ampliación poética utilizando la poesía surrealista, pero como una consecuencia, no como una intención del poeta. Así, el espacio y el tratamiento del color, no harán en el período surrealista sino modularse según unas bases que ya estaban echadas desde *Perfil del aire.*

Bodini afirma que el surrealismo de Cernuda se produjo por líneas exteriores, tremendismo y satanismo, y en contradicción, o al menos como corrección a su sensibilidad perezosa y sensual. Después de retomar el aserto de Macrí acerca de Cernuda, calificándolo de poeta árabe-andaluz [29], afirma que los resultados más puros son esas reducciones de la vida a un mórbido silencio absoluto. Afirma Bodini que Cernuda asumió actitudes extremas, alternando violencia y rebeliones, sin esforzarse demasiado por hacerse mediador entre Andalucía y Europa. Junto a un mundo de transparentes llanuras, polen, caracolas, flores de quieta luz, comparecen sentimientos imprevistos y denuncias en tonos destructivos. Asimismo afirma que en el caso de Cernuda la escritura automática no rompe los esquemas métricos y melódicos. Su parábola poética no presenta fracciones ni respecto a lo anterior ni a lo posterior. Afirma Bodini que, de los dos polos de la poética cernudiana —la realidad y el deseo—, el segundo elemento, en su escala de atormentada atonalidad, hasta la indolencia y el olvido, permanece fijo. Por el contrario, el primero cambia, ascendiendo, de una forma de previsibles encuentros literarios a una liberalísima región de relaciones imprevistas y profundas. Aventura con tino Bodini, que quizá su permanencia en el canto le venga de Eluard. Para Cernuda el surrealismo es un seguro antídoto contra la deshumanización, y como tal pasó definitivamente a su poesía, mucho más allá del transitorio empleo de las técnicas surrealistas.

Harris, Müller y Morris tocan con más atención el tema. Analizan lo que en Cernuda hay de autóctono, lo que es de la tradición española y lo que debe al surrealismo circundante o colindante francés.

Vayamos ahora a examinar las opiniones de Cernuda sobre el surrealismo, a la vez que sobre su propia obra surrealista.

En varias ocasiones —si dejamos a un lado las opiniones sobre sus compañeros, emitidas muchos años

---

[29] Oreste Macrí: *La poesía spagnola del Novecento.* **Guanda**, 1952, p. LVII.

después en el libro *Poesía española contemporánea* [30]—, trata de ellas.

En 1929 traduce unos poemas de P. Eluard y los publica con una nota introductoria en la revista malagueña *Litoral,* en junio, en su número 9. Encabeza la nota el verso de *Perfil del aire:* «Pienso y sueño que vivo».

En la nota Cernuda hace referencia al posible «romanticismo», de Eluard, aludiendo a la poesía no verbal.

En una segunda nota surrealista, Cernuda publica, en la *Revista de Occidente,* octubre de 1929, un pequeño ensayo dedicado a Jacques Vaché. Lo comienza así:

«El suprarrealismo, único movimiento literario de la época actual, por ser el único que sin detenerse en lo externo penetró hasta el espíritu con una inteligencia y sensibilidad propias y diferentes, fue en parte desencadenado por Jacques Vaché, sin olvidar, antecedente indispensable, a Lautréamont, y olvidando, recordando vagamente a Rimbaud» [31].

En estas breves líneas nos sitúa Cernuda su modo de entender el surrealismo. Vemos cómo la penetración hasta el espíritu define una actitud que él recoge y persigue. Describe a Vaché, al igual que a Lautréamont y a Rimbaud, como «caídos». Personajes que maldiciendo, llorando, burlándose, desfilan hacia la muerte. Espíritus para quienes orgullo no fue una palabra vana.

A renglón seguido, con profundidad de mirada, asevera el joven Cernuda que ese desorden en el orden, es lo que constituye en esencia la obra suprarrealista. Fus-

---

[30] Luis Cernuda: *Estudios sobre la poesía española contemporánea.* Madrid, Guadarrama, 1957.

[31] L. Cernuda: *Jacques Vaché,* «Revista de Occidente». Madrid, t. XXVI, octubre, 1929. Recogido por Luis Maristany en *Luis Cernuda: Crítica, ensayos y evocaciones.* Seix Barral. Barcelona, 1970, p. 45.

10

tigando a los pequeños supraverbalistas, que comenten su mínimo suprarrealismo, ensalza a Vaché como hastiado y ansioso de vida.

Al final, toma nota de algo que se repetirá en el comentario a sus propios poemas, algo paralelo en cuanto a sensaciones y actitudes vitales:

«Quedaba aún a Vaché —como él dice—, esa querida atmósfera de tango hacia las tres, madrugada, con industrias maravillosas, delante de algún monstruoso cocktail; quedaban sus sueños ávidos por el cine, el cine aún no descubierto entonces. 'Saldré de la guerra chocheando dulcemente, o acaso a la manera de esos espléndidos idiotas de aldea (lo deseo)... o acaso..., acaso..., ¡qué film representaré! Con automóviles locos, ya sabe, puentes que ceden y manos mayúsculas trepando por la pantalla hacia algún documento. ¡Inútil e inapreciable! '» [32].

Comenta Cernuda que es imposible leer esta carta de Vaché sin derramar lágrimas. Importante anotación: «Su lectura puede cambiar un espíritu.»

Es, por tanto, esa dimensión trágica, de rebeldía total, la que más importa al Cernuda suprarrealista.

Además de estos dos breves ensayos, en los que Cernuda se refiere al surrealismo como movimiento, en su «Historial de un libro» nos hace la confesión —de calculada frivolidad, según Bodini— de su propio devenir suprarrealista. Su llegada al suprarrealismo se debe a circunstancias favorables. Su estancia como lector de español en Toulouse, los viajes a París, donde encontraría los textos de Breton, Crevel, Eluard, el cine, los discos, la libertad de costumbres, le impulsaron hacia la expresión de esas nuevas realidades poéticas, ya latentes en su interior. Dice:

«De regreso en Toulouse, un día, al escribir el poe-

---

[32] *Ibid.*, p. 47.

ma 'Remordimiento en traje de noche', encontré de pronto camino y forma para expresar en poesía cierta parte de aquello que no había dicho hasta entonces. Inactivo poéticamente desde el año anterior, uno tras otro, surgieron los tres poemas primeros de la serie que luego llamaría *Un río, un amor,* dictados por un impulso similar al que animaba a los surrealistas» [33].

Como se ve, es una comunión con sistemas estéticos que flotan en el ambiente europeo, y que cuadran muy bien con la situación anímica del joven Cernuda, reticente ante las formas de vida burguesas de los poetas puros. Pero inmediatamente corrige, por si el lector pudiera pensar que es el suyo oficio de cazador de modas:

«Ya he aludido a mi disgusto ante los manierismos de la moda literaria y acaso deba aclarar que el superrealismo no fue sólo, según creo, una moda literaria, sino además algo muy distinto: una corriente espiritual en la juventud de una época, ante la cual yo no pude, ni quise, permanecer indiferente» [34].

Aquí está la clave interpretativa de la obra superrealista cernudiana, anticipada ya en su pequeño ensayo sobre Jacques Vaché. Así como Aleixandre encontró en el superrealismo su medida estética, Cernuda halló en él su medida espiritual del momento. La actitud de la juventud antirromántica y anticlasicista, antirrealista, en parte, superrealista, colmaba en alguna medida el cúmulo de inquietudes espirituales más que estéticas, del sevillano. Al igual que en el caso de Vaché, Cernuda ama la música popular de ruptura: en este caso, en vez del tango, es el jazz:

«Dado mi gusto por los aires de jazz, recorría catálogos de discos y, a veces, un título me sugería posibilidades poéticas, como éste de *I want to be alone in*

---

33 L. Cernuda: *Poesía y literatuar I.* P. 245.
34 *Ibid.,* p. 245.

the South, del cual salió el poemita segundo de la colección susodicha, y que algunos, erróneamente, interpretaron como expresión nostálgica de Andalucía» [35].

Otro *leit-motiv* de los jóvenes surrealistas es el cine. Pero en Cernuda la afición y la intuición de sus posibilidades de expresión de la modernidad, le venían de mucho más atrás.

En las cartas que desde Madrid escribe a sus amigos en Sevilla Capote o Montes, les habla de las películas que ve en los cines de la Gran Vía con arrobo. En París colma este ansia de imágenes:

«En París había visto la primera película sonora, cuyo título, *Sombras blancas en los mares del Sur,* también me dio ocasión para el tercer poema de la colección. Aún recuerdo, cuando subía al piso segundo del cine, que creo era uno próximo a los Campos Elíseos, si no estaba en los mismos, cómo llegó hasta mí el rumor del mar, fondo de aquella cinta. Uno de los letreros de cierta película muda que vi en Toulouse, me deparó esta frase para mí curiosa: 'en (no recuerdo el nombre del lugar que se mencionaba) los caminos de hierro tienen nombre de pájaro', y la usé, como en un *collage,* dentro del poemilla 'Nevada'» [36].

Otro de los motivos surrealistas destacables es su afición a los Estados Unidos, como ideal —transmitido por el cine— de país de sonrisa y atleticidad juvenil. Era la nueva estética, que desechaba el arte italiano, en favor de la naturaleza libre norteamericana.

De los motivos, pasa Cernuda a exponer la ruptura métrica de estos poemas, en relación con el libro anterior suyo: *Egloga, Elegía, Oda.*

«Ya en Madrid, durante el verano de 1929, continué escribiendo los poemas que forman la serie, terminándola. Antes había tenido cierta dificultad en usar

[35] *Ibid.,* p. 245.
[36] *Ibid.,* pp. 245-6.

el verso libre; en el impulso que entonces me animaba, la dificultad quedó vencida, llegando a veces, tanto en *Un río, un amor,* como en la colección siguiente: *Los placeres prohibidos,* a utilizar versos de extensión considerable, en realidad versículos. Prescindí de la rima, consonante o asonante y apenas si, desde entonces, he vuelto a usar la primera. Lo curioso es que, a pesar de ambas cosas, verso libre y ausencia de rima, en ocasiones sea visible en algunas tales composiciones (por ejemplo, 'Estoy cansado'), una intención análoga a la de la canción; creo que siempre ha sido constante en mis versos, aunque a intervalos, la aparición del poemacanción. Pero no quería repetir la forma y la manera de las canciones medievales, ni de las letrillas, sino, con impulso semejante, conseguir otra expresión. Inútil añadir que nadie se dio cuenta de mi propósito.

»Poco a poco, fui siguiendo camino que me llevaba hacia un tipo de poesía, en la cual lo que yo quería decir me parecía más urgente que lo que resultara al seguir los laberintos de la rima. Es cierto que algunos poetas creyeron que sus hallazgos más felices fueron deparados por ese azar de la rima; respetando su parecer, no creí conveniente imitarles, prefiriendo seguir el hilo de mi pensamiento a dejarme conducir, lejos de él, por la rima»[37].

Nos da así la nueva técnica métrica: versículos, ausencia de rima, intención a veces análoga a la de la canción, preferencia por el contenido poético. Opera de modo similar, con las limitaciones que después veremos, a los surrealistas. Es su contestación a la poesía pura y su manifestación en formas métricas de contenidos disparados hacia la búsqueda, la deformación, la rebeldía. Sigue Cernuda:

«Seguí leyendo las revistas y los libros del grupo

---

[37] *Ibid.,* pp. 246-7.

superrealista; la protesta del mismo, su rebeldía contra la sociedad y contra las bases sobre las cuales se hallaba sustentada, hallaban mi asentimiento. España me parecía como país decrépito y en descomposición; todo en él me mortificaba e irritaba» [38].

Lo mismo expresa en la carta a Higinio Capote, de Sevilla, dirigida desde Madrid, con fecha de 4 de diciembre de 1929:

«Los libros que quisiera son *Les pas perdus*, de André Breton, *Les aventures de Télemaque*, *Le libertinage* y *Le Paysan de Paris*, de Louis Aragon. ¿Crees acaso que esos libros volverán pronto a una casa mía? Yo lo dudo. Además de esos libors sólo me interesan ahora unos cuantos. Los otros, si fuera fácil, me libraría de ellos. Azorín, Valle-Inclán, Baroja, ¿qué es eso? ¿Qué me importa toda esa estúpida, inhumana, podrida literatura española?» [39].

El ambiente literario español le aburre, le hastía. Aparece en sus poemas. El mismo lo detecta:

«Como consecuencia de tal descontento, ciertas voces de rebeldía, a veces matizadas de violencia, comenzaron a surgir, aquí o allá, entre los versos que iba escribiendo» [40].

Precisamente esa rebeldía le lleva a redactar de una vez los poemas, en una sola comunicación, aunque sin que Cernuda lo fiara todo a la escritura automática. Era suficientemente artista como para no dejarse captar por tal falacia:

«*Un río, un amor*, estaba terminado; en 1931 comencé «Los placeres prohibidos». Los temas de una y otra colección los escribí, cada uno, de una vez y sin correc-

---

[38] *Ibid.*, pp. 247-8.
[39] F. López Estrada: *Estudios y cartas de Cernuda, 1926-1929*. «Insula», núm. 207, p. 16. 16 febrero, 1964.
[40] L. Cernuda: *Poesía y literatura I*, p. 248.

ciones; la versión que años más tarde publiqué de ellos era la misma que me deparó el impulso primero» [41].

Al fin, Cernuda, en su autoanálisis, cuenta cómo abandonó el superrealismo:

«El período de descanso entre *Los placeres prohibidos* y *Donde habite el olvido,* aunque apenas marcado por un lapso de tiempo..., representó también el abandono de mi adhesión al superrealismo. Este había deparado ya su beneficio, sacando a luz lo que yacía en mi subconciencia, lo que hasta su advenimiento permaneció dentro de mí en ceguedad y silencio. Ya no tenía necesidad del superrealismo y comenzaba a ver, por otra parte, la trivialidad, el artificio en que degeneraba al convertirse en fórmula poética» [42].

Lo que al principio había sido celeridad y emulación de los surrealistas —no se olvide que veintidós poemas de *Un río, un amor* fueron redactados entre el doce de julio y el treinta y uno de agosto de 1929; y los dieciocho de *Los placeres prohibidos,* entre el 20 y el 22 de mayo de 1931 [43]—, ahora es temor al amaneramiento, a la ausencia de autenticidad, lo que lleva a Cernuda a despegarse de un método que en su experiencia íntima estaba ya agotado.

---

[41] *Ibid.,* p. 249.
[42] *Ibid.,* p. 251.
[43] Derek Harris: *The Poetry of Luis Cernuda.* Tesis doctoral inédita, pp. 403-5. (Citado por C. B. Morris).

V. EL RECUERDO DE BECQUER: «DONDE HABITE EL OLVIDO»

En 1935, en la revista *Cruz y Raya* [1] publica un precioso ensayo Cernuda titulado: «Bécquer y el romanticismo español». En él, después de distinguir dos tipos de romanticismo, el histórico y el que existe como hecho eterno, como hecho de las razones que nos ligan a la vida, explica la trayectoria de Bécquer, vital y poética, parándose a detallar con minuciosidad las características de su pasión amorosa:

«Mas, ¿y la terrible realidad amorosa, viva y atormentada, que se levanta tras la mayor parte de sus *Rimas?* Allí, no podemos dudarlo, palpita el eco de un gran amor amargado y cumplido. El testimonio más auténtico respecto a un hombre es sin duda su obra» [2].

Este eco es el mismo del Cernuda de *Donde habite el olvido,* y el poeta de alguna manera se refugia en el autor de las *Rimas,* como modelo que ha vivido hasta el tuétano esa pasión:

«Se considera a Bécquer como poeta del amor. Tam-

---

[1] L. Cernuda: «Bécquer y el romanticismo español». *Cruz y Raya*, núm. 26, mayo, 1935, pp. 47-73. Recogido en *Crítica, ensayos y evocaciones.*

[2] L. Cernuda: *Crítica, ensayos y evocaciones,* p. 107.

bién aquí creo, estoy seguro, que pocos, muy pocos, entre quienes así lo llamaron, se dieron cuenta del tormento, las penas, los días sin luz y las noches sin tregua que tras esos breves poemas de amor se esconden. ¿Poeta del amor? Sí, sin duda, si vemos el amor no como un vago e impreciso sentimiento que unas pocas lágrimas descargan de su pesar y en cualquier otro cuerpo se olvida. Pero hay una pasión horrible, hecha de lo más duro y amargo, donde entran los celos, el despecho, la rabia, el dolor más cruel» [3].

Cernuda está hablando de Bécquer y recordándose a sí mismo. Y lo que en 1935 es autorreflexión proyectada sobre la obra ajena, en 1932 fue modelación de la propia experiencia, basándose en idéntica obra ajena. De Bécquer toma Cernuda pauta, de su famoso prólogo al libro de Augusto Ferrán *La soledad,* para dar un corte en el surrealismo anterior. No vamos a repetir más que lo que es esencial para Bécquer en la poesía, en la poesía de los poetas, y que Cernuda digiere:

«Hay una poesía magnífica y sonora...

»Hay otra natural, breve, seca, que brota del alma como una chispa eléctrica, que hiere el sentimiento con una palabra y huye; y desnuda de artificio, desembarazada dentro de una forma libre, despierta, con una que las toca, las mil ideas que duermen en el océano sin fondo de la fantasía» [4].

Cernuda, a renglón seguido, comenta:

«Aquí no podemos dudar; Bécquer sentía oscuramente lo que le alejaba de la mayoría de los poetas españoles» [5].

Tampoco nosotros podemos dudar. Cernuda tenía muy claro dónde estaba la divergencia con todos sus compañeros de generación.

[3] *Ibid.,* p. 108.
[4] *Ibid.,* p. 105.
[5] *Ibid.,* p. 106.

Donde habite el olvido es un conjunto de poemas sin título, breves, de metro corto, de pocas estrofas, donde hay algunas canciones, y que podrían considerarse como un conjunto de partes de un solo poema de título igual al del libro, pero cuya construcción no es arquitectural, sino que es un solo tema en dieciséis variaciones, y un final-puente con el libro posterior: *Invocaciones.*

Ya hay aquí esa brevedad propia de las rimas. Aunque en Cernuda no hay anécdota. En Bécquer gira sobre la anécdota, depurada, el esqueleto del poema. Cernuda rehuye el artificio surrealista. Estos breves poemas se esfuerzan por alcanzar la naturalidad, y aunque todavía envueltos en metáforas y técnicas, antes con función caótica, ahora esas mismas técnicas funcionan en orden a obtener esa chispa eléctrica, que es el potencial que una palabra, en un contexto adecuado, dispara sobre el sentimiento, muy lejana, por cierto, de la chispa de que hablara Breton, que iba dirigida a herir la imaginación, mediante el establecimiento del contacto de dos términos insólitos, y de diferencia de potencial suficiente.

El tema de *Donde habite el olvido* lo da el propio poeta en la introducción o lema que ha colocado al frente de ellos:

«Como los erizos, ya sabéis, los hombres un día sintieron su frío. Y quisieron compartirlo. Entonces inventaron el amor. El resultado fue, ya sabéis, como en los erizos.

»¿Qué queda de las alegrías y penas del amor cuando éste desaparece? Nada, o peor que nada; queda el recuerdo de un olvido. Y menos mal cuando no lo punza la sombra de aquellas espinas; de aquellas espinas, ya sabéis. Las siguientes páginas son el recuerdo de un olvido» (RD., p. 86).

El tema, por tanto, es el recuerdo de un olvido. El

tema de las *Rimas* es el recuerdo del amor, o el ejercicio del amor. Cuando Cernuda comienza y remata el primer poema de la serie con el verso *Donde habite el olvido*, que está en la rima LXVI:

> *En donde esté una piedra solitaria*
> *sin inscripción alguna,*
> *donde habite el olvido,*
> *allí estará mi tumba* [6].

retoma el motivo de Bécquer, pero lo varía. En Bécquer el olvido será el reposo, en Cernuda el olvido es el que punza como recuerdo el presente y trae dolor y desesperación.

Ya este mismo motivo se encuentra en un poema de *Los placeres prohibidos:* «Te quiero»:

> *Pero así no me basta:*
> *Má allá de la vida,*
> *Quiero decírtelo con la muerte;*
> *Más allá del amor*
> *Quiero decírtelo con el olvido.*
>
> RD., p. 81.

Fijémonos: recuerdo de un olvido: en ese rabioso salto hacia la interioridad, Cernuda todavía va más allá de Bécquer: en éste el sentimiento es tal, de amor o de dolor por la pérdida; en Cernuda podríamos decir que se trata del sentimiento de un sentimiento, del dolor del recuerdo de un olvido; olvido doble, es claro, tanto del amante para con el amado como viceversa. He aquí una nota más que postromántica, neorromántica, y en último término, para situar ya la concepción cernudiana del amor, que responde a una visión del mundo.

---

[6] G. A. Bécquer. *Rimas.* Clásicos Castellanos (Madrid), 2.ª edición. 1968, p. 102.

En el poema V, el olvido toma la imagen del mar, que es la imagen del amante. En técnica de pequeña canción, cultivada ya antes por Cernuda, reitera el mismo motivo de antes. El mar, las olas, gozan, pero, a la vez, entreabren la muerte.

> *El mar es un olvido*
> *Una canción, un labio;*
> *El mar es un amante,*
> *Fiel respuesta al deseo.*
> RD., p. 90.

En el poema XI, el horadar en su interioridad herida lleva a Cernuda todavía más allá:

> *No, no quisiera volver,*
> *Sino morir aún más,*
> *Arrancar una sombra,*
> *Olvidar un olvido.*
> RD., p. 94-95

En el ápice de la desesperación, intenta «olvidar el olvido», y el intento, dialécticamente, se vuelve contra él. Una nueva desesperación, más afilada, será su fruto.

Podría afirmarse, con Emilia de Zuleta [7], que el olvido, después de la muerte, representa un grado más allá, como una segunda muerte en la memoria de los vivos. En este libro de Cernuda el olvido es una forma anterior de muerte, en la vida misma, que conduce al hombre a su sincerarse total, al desasimiento de todos los bienes mentirosos, al reencuentro con la tierra. Ese reencuentro con la tierra es la experiencia reveladora del ritmo integrador en que concuerden armónicamente yo y universo, tierra y deseo.

---

[7] Emilia de Zuleta: *Cinco poetas españoles.* Gredos, Madrid, 1971, pp. 427-429.

En la dinámica oposicional cultivada por Cernuda, se corresponde al «olvido» el «recuerdo». En él tiene una función similar al recuerdo becqueriano, sólo que con la precisión distintiva hecha para el olvido. Leemos en Bécquer, rima LXIII:

> Como enjambre de abejas irritadas
> de un oscuro rincón de la memoria
> salen a perseguirme los recuerdos
> de las pasadas horas.
> Yo los quiero ahuyentar. ¡Esfuerzo inútil!
> Me rodean, me acosan,
> y unos tras otros a clavarme vienen
> el agudo aguijón que el alma encona [8].

Lo que a Bécquer le duele es el recuerdo del amor. A Cernuda le punza, poéticamente, otro sentimiento: el de la necesaria y radical fugacidad de todo amor. Lo que en Bécquer es dolor concreto de la pérdida de un amor concreto, en Cernuda es dolor de un olvido trascendente del amor trascendente. En ambos, el recuerdo conlleva tristeza:

> No quiero, triste espíritu, volver
> Por los lugares que cruzó mi llanto,
> Latir secreto entre los cuerpos vivos
> Como yo también fui.
> No quiero recordar
> Un instante feliz entre tormentos;
> Goce o pena, es igual,
> Todo es triste al volver.

RD., p. 94.

En la canción que lleva el número IX de la serie, evoca el amor, recuerda con finísima tristeza:

---

[8] G. A. Bécquer, id. id., p. 99.

> *Exhalaba el tiempo*
> *Luces vegetales*
> *Amores caídos,*
> *Tristeza sin donde.*
> RD., p. 92.

Puede afirmarse, con Ricardo Gullón, por tanto[9], que la atmósfera de tristeza del conjunto de la obra de Cernuda muestra en estos poemas su perfume más persistente. El poeta quiere perderse en los vastos jardines sin aurora, intransitados por el amor, lejanos de ese ardor que se hace su dueño y lo reduce al puro afán de existir sometiendo a otra vida su vida. El ideal será liberarse de los recuerdos y de todo, flotando en nieblas de indiferencia, hecho él también bruma de la oscura comarca gobernada por el olvido. Aquí se puede detectar cómo esta atmósfera derivada de una obsesiva vuelta a la interioridad delata el carácter neorromántico de este libro, sobre todo por su imposibilidad de liberación real, por su condena al recuerdo de su condición.

En igual dimensión de oposición dialéctica se sitúa la repulsa y la feroz dictadura del deseo. Ese movimiento indeciso, ese negarlo, suplicar un lugar donde el deseo no exista, en el poema I, para en el poema VII afirmar:

> *Cuando la muerte quiera*
> *Una verdad quitar de entre mis manos,*
> *Las hallará vacías, como en la adolescencia,*
> *Ardientes de deseo, tendidas hacia el aire.*
> RD., p. 91.

O en el poema X,

---

[9] Ricardo Gullón: *La poesía de Luis Cernuda.* Revista «Asomante». Puerto Rico, núm. 2, p. 51.

Quisiste siempre, al fin sabes
Cómo ha muerto la luz, tu luz un día,
Mientras vas, errabundo mendigo, recordan-
                    [*do, deseando;*
Recordando, deseando.

RD., p. 94.

En el que el evocador lo que hace es desear, dar cumplimiento al deseo tiránico, convirtiéndose como el mendigo, aquel mendigo a quien hemos visto en los poemas surrealistas.

Y al final, con el reconocimiento de la tierra, está el reconocimiento del deseo, fuerza ambivalente, pero inevitable:

Tú sola quedas con el deseo,
Con este deseo que aparenta ser mío y ni si-
                    [*quiera es mío,*
Sino el deseo de todos,
Malvados, inocentes,
Enamorados o canallas.

Tierra, tierra y deseo.
Una forma perdida.

RD., p. 101.

Que el deseo, el olvido, el recuerdo, el amor, son sombras, nos lo repiten ambos poetas sevillanos. Sombras pindáricas de un sueño concreto de amor en Bécquer, en la rima LXIX:

La gloria y el amor tras que corremos
sombras de un sueño son que perseguimos [10].

---

10 G. A. Bécquer, p. 105.

Y Cernuda:

> *No, no quisiera volver,*
> *Sino morir aún más,*
> *Arrancar una sombra*
> *Olvidar un olvido.*

RD., pp. 94-95.

Mas, ¿quién es el amado, de qué dones está favorecido, de qué caracteres le dota el poeta? En *Donde habite el olvido* hay algunos leves trazos coincidentes con la amada de Bécquer. Sólo que en Bécquer son notas concretas, o idealizaciones de una persona concreta. En Cernuda, el amante es un mito: joven dios, ángel y demonio, «mi arcángel». Recordamos aquella nota fundamental de los ojos de la amada, en varias rimas de Bécquer; en Cernuda asimismo está presente el motivo de los ojos, pero los del poeta, ojos dueños de todo y, cuando él muere, hundidos en la sombra, en el yerto infierno del desamor:

> *Estás conmigo como están mis ojos en el*
> *[mundo,*
> *Dueños de todo por cualquier instante;*
> *Mas igual que ellos, al hacer la sombra, lue-*
> *[go vuelvo,*
> *Mendigo a quien despojan de su misma po-*
> *[breza,*
> *Al yerto infierno de donde he surgido.*

RD., p. 96.

Y, en ambos, el motivo del llanto del amante y la risa del ser amado, la burla de la amada becqueriana (rima XLIX: «Alguna vez la encuentro por el mundo»; rima LX: «Su mano entre mis manos»), y la metafísica burla que el amor dispensa al amante, huyendo:

163

> *En esa gran región donde el amor, ángel te-*
> > *[rrible,*
> *No esconda como acero*
> *En mi pecho su ala,*
> *Sonriendo lleno de gracia aérea mientras cre-*
> > *[ce el tormento.*
> > > RD., p. 87.

O en el poema X:

> *Ellas fueron sus alas en tiempos de alegría,*
> *Esas que por el fango derribadas*
> *Burla y respuesta dan al afán que interroga,*
> *Al deseo de unos labios.*
> > > RD., p. 94.

¿Y el amor? El amor en ambos es una herida, y en ambos también la herida de amor la hace el acero, el hierro. Sólo que en Bécquer es momentánea, casi física. En Cernuda la herida no es otra cosa que el desgarrón inexorable entre la realidad y el deseo. Leemos en Bécquer, rima XXXVII:

> *Antes que tú me moriré: escondido*
> *en las entrañas ya*
> *el hierro con que abrió tu mano*
> *la ancha herida mortal* [11].

Rima XLII:

> *Cuando me lo contaron sentí el frío*
> *de una hoja de acero en las entrañas* [12].

---

[11] G. A. Bécquer, p. 67.
[12] B. A. Bécquer, p. 74.

Rima XLVIII:

> Como se arranca el hierro de una herida
> tu amor de las entrañas me arranqué [13].

Y en Cernuda:

> En esa gran región donde el amor, ángel te-
> [rrible,
> No esconda como acero
> En mi pecho su ala
>
> RD., p. 87.

O en el poema VIII:

> Hechos vibrante fuego
> O filo inextinguible
> Los condenados tuercen
> Sus cuerpos en la sombra.
>
> RD., p. 92.

Y en el poema XIII:

> Como incesante filo contra el pecho,
> Como el recuerdo, como el llanto,
>
> RD., p. 96.

O en el poema XVI:

> Placer, amor, mentira,
> Beso, puñal, naufragio.
>
> RD., p. 99.

---

[13] B. A. Bécquer, p. 79.

Este amor es así, porque es mentira, porque es la mentira necesaria e inevitable:

La mentira no mata
aunque su filo clave como puñal alguno.

Como única alternativa contra este amor «mentiroso», encuentran ambos poetas refugio en la naturaleza. En la disección que Cernuda hace de Bécquer en *Cruz y Raya,* se lee:

«Su poesía, claro está, no es sólo amorosa. Bécquer es sin duda un poeta excesivamente individualista; no obstante, alienta en él a veces un afán que le arrastra hacia la naturaleza, con las olas, con las nubes, deseando disolverse en el aire, lejos de la memoria, del olvido, de todo lo creado, para no ser ya sino esa sombra vacía que designamos con la palabra nada» [14].

En Cernuda también está la naturaleza, pero es una naturaleza sombría, fúnebre, equivalente a la muerte del amor. En Bécquer la piedra solitaria, la tumba y el poeta se identifican, como seres todos concretos. Pero Cernuda pide convertirse en:

Memoria de una piedra sepultada entre ortigas
Sobre la cual el viento escapa a sus insomnios.
RD., p. 87.

El yo, la interioridad suma, la memoria y los insomnios rehusan diluirse en los vastos jardines. Neorromántico aquí el poeta hasta la desesperación.

En el poema final: «Los fantasmas del deseo», sin embargo, intenta la ruptura hacia el exterior, la salida para no quedar aniquilado en la combustión inapelable de la interioridad. Hay una reconciliación:

---

[14] L. Cernuda: *Crítica, ensayos y evocaciones,* p. 100.

Yo no te conocía, tierra;
Con los ojos inertes, la mano aleteante,
Lloré todo ciego bajo tu verde sonrisa,

. . . .

Bien sé ahora que tú eres
Quien me dicta esta forma y este ansia;
Sé al fin que el mar esbelto
La enamorada luz, los niños sonrientes,
No son sino tú misma;

RD., p. 100.

Pero no es esta tierra cernudiana un *deus ex machina* o mejor el duendecillo cartesiano que viene a sacarle del abismo del yo. Tan sólo confiesa su presencia, presencia que con el deseo, se salvan de la mentira del amor, de la mentira de la caricia, de la mentira de la amistad:

Tú sola quedas con el deseo.

. . . .

Tierra, tierra y deseo.
Una forma perdida.

RD., p. 100.

VI. LA PRESENCIA DE HÖLDERLIN EN «INVOCACIONES»

Que Cernuda profesó una devoción honda por la poesía de Hölderlin, es indiscutible. Lo dice él mismo:

«Más que mediada ya la colección (de *Invocaciones*) antes de componer el 'Himno a la tristeza', comencé a leer y a estudiar a Hölderlin, cuyo conocimiento ha sido una de mis mayores experiencias en cuanto poeta. Cansado de la estrechez de preferencias poéticas de los superrealistas franceses, cosa natural en ellos, como franceses que eran, mi interés de lector comenzó a orientarse hacia otros poetas de lengua alemana e inglesa y, para leerlos, trataba de estudiar sus lenguas respectivas»[1].

Cernuda se aplica a traducir a Hölderlin, ayudado de su amigo el poeta alemán Hans Gebser:

«Al ir descubriendo, palabra por palabra, el texto de Hölderlin, la hondura y hermosura poética del mismo parecían levantarme hacia lo más alto que pueda ofrecernos la poesía. Así aprendía, no sólo una visión nueva del mundo, sino, consonante con ella, una técnica nueva de la expresión poética»[2].

---

[1] Luis Cernuda: *Poesía y literatura*, p. 253.
[2] *Ibid.*, p. 254.

En esas traducciones de Hölderlin abundan las formas de la segunda persona gramatical y la personificación de fuerzas y estados naturales. Como en las *Invocaciones*. Al margen se han señalado una serie de analogías entre ambos cuya matización se hace preciso hacer:

Hölderlin es un poeta a mitad de camino entre el lirismo metafísico y el vate profético. Está en ese aspecto más cerca de Keats que de Blake. Cernuda, por contra, es un lírico metafísico y moralista. Nunca profético. Lo que hace Cernuda es retomar la idea de Hölderlin del encadenamiento de las cosas y fundir existencia individual con el universo poético.

Hölderlin posee el sentimiento de la naturaleza, confiada, íntima e inmediatamente. Y como ejemplo fehaciente los poemas traducidos por Cernuda y Gebser, «La primavera» y «El verano». Dice en «La primavera»:

> *Cuando una delicia nueva brota por los*
> *[campos,*
> *otra vez la apariencia embellecida,*
> *y en los montes, donde los árboles verdean,*
> *aires más claros se muestran con las nubes,*
>
> *cuánto gozo en los hombres. Alegremente*
> *por las riberas solos van. Calma, deseo*
> *y embeleso de una salud reverdecida.*
> *La amable risa tampoco lejos anda.*

Y en «El verano»:

> *Cuando la flor de la primavera pasa hu-*
> *[yendo,*
> *surge el verano, tal una guirnalda del año;*
> *lo mismo que un arroyo al deslizarse por el*
> *[valle*

así es en torno suyo el esplendor henchido
                    [*de los montes.*
Cuando todo esplendente se nos muestra el
                    [*campo,*
es como el día, hacia el crepúsculo tendido;
las horas del verano son como el año que
                    [*huye,*
como breves estampas terrenas para el
                    [*hombre* [3].

En Cernuda el sentimiento de la naturaleza es con-
ceptuoso-imaginativo. La naturaleza está construida como
una necesidad de dar salida a un deseo cuyo primer
objetivo había fracasado por el abismo ontológico entre los seres humanos. Así en el poema «El viento de
septiembre entre los chopos»:

> *Por este clima lúcido,*
> *Furor estival muerto,*
> *Mi vano afán persigue*
> *Un algo entre los bosques.*
>
> *Un no sé qué, una sombra,*
> *Cuerpo de mi deseo,*
> *Arbórea dicha acaso*
> *Junto a un río tranquilo.*
>
> *Pero escucho; resuena*
> *Por el aire delgado,*
> *Estelar mediodía,*
> *Un eco entre los chopos.*
>   RD., p. 108-9.

---

[3] *Hölderlin*, traducción de Luis Cernuda y Hans Gebser. Nota de Luis Cernuda. «Cruz y Raya», noviembre, 1935. Número 32, pp. 130-131.

En estas tres estrofas del comienzo se puede observar esa mediatización conceptual para acercarse a la naturaleza: «clima lúcido», «furor estival», «vano afán», «cuerpo de deseo», «arbórea dicha», «estelar melodía», son abstracciones o formulaciones de conceptos, bien que revestidos imaginariamente.

El propio título primero de la serie «Invocaciones a las gracias del mundo» indica esta mediatización: no es al mundo al que se acerca el poeta; es a sus «gracias».

Hölderlin enriquece cada momento vivido con la experiencia vital anterior. Dice de él Dilthey:

«Siempre actuó sobre su sentimiento del momento lo que había sufrido y lo que le podía acontecer. Todo lo guardaba consigo. Como si el momento, que tan intensamente vivió Goethe, no tuviera realidad para él» [4].

En Cernuda, que invoca el momento como únicamente gozable, no es un punto que resuma su universo, sino el resultado de una inferencia mental. Predica un erotismo instantáneo, pero se encuentra muy lejos de conectar eróticamente con el instante naturalmente gozable.

Hölderlin es un poeta-intermediario. Su misión consiste en recordar para los hombres lo que ha visto en el mundo de los dioses. Este puesto consciente del poeta dentro de los demás hombres de cara a los dioses —el término utilizado por Heidegger en una de sus exégesis de Hölderlin es *Hinausgeworfener* [5]— le compete por naturaleza poética. Su misión, para seguir con Heidegger, es un «*jenes Zwischen zwischen den Göttern*

---

[4] Dilthey: *Das Erlebnis und die Dichtung.* Leipzig, 1924, 9.ª edición, p. 441. (Citado por Luis Díez del Corral en su introducción a la traducción del *Archipiélago* de Hölderlin, «Revista de Occidente). Madrid, 2.ª edición, 1971, p. 22).

[5] M. Heidegger: *Erläuterungen zu Hölderlins Dichtung.* (Frankfurt), 1951, p. 43.

und den Menschen»[6]. Por ello, escribe en los últimos versos del «Archipiélago»:

> *Poetas, es nuestra misión permanecer*
> *con la cabeza descubierta en medio de las*
> *   [tormentas de Dios,*
> *coger con la mano el mismo rayo*
> *del Padre, y transmitir al pueblo*
> *envuelto en canción el don celeste*[7].

Trágico fin el del poeta, por el hecho de ser ese intermediario. Se dice en el «Empédocles:

> *A veces la divina naturaleza se manifiesta*
> *divinamente a través de los hombres; así*
> *el linaje anhelante la conoce de nuevo.*
> *Mas el mortal, al que llena el corazón*
> *de sus delicias, y la publica,*
> *¡oh¡, dejad que ella luego quiebre el vaso,*
> *para que no sirva en otro uso,*
> *y lo divino se convierta en cosa de los hom-*
> *   [bres*[8].

Este destino de intermediario trágico siempre estuvo en la preocupación de Hölderlin, así como la pregunta por la esencia de poesía y poeta, tal como Heidegger lo explica[9].

Cernuda toma de Hölderlin esta pregunta sobre el destino del poeta. Pero él no es un intermediario, sino aislado contemplador de la belleza que previamente ha

---

[6] *Ibid. ibid.*
[7] Luis Díez del Corral, *op. cit.*, p. 30.
[8] *Ibid*, p. 31.
[9] M. Heidegger: *Hölderlin und das Wesen der Dichtung.* München, 1936, p. 4. (Citado por Luis Díez del Corral, p. 30).

reconstruido, ayudado por la mitología. Leemos en «La gloria del poeta»:

> Mas no eres tú,
> Amor mío hecho eternidad,
> Quien deba reír de este sueño, de esta im-
>   [potencia, de esta caída,
> Porque somos chispas de un mismo fuego
> Y un mismo soplo nos lanzó sobre las on-
>   [das tenebrosas
> De una extraña creación, donde los hombres
> Se acaban como un fósforo al trepar los fa-
>   [tigosos años de sus vidas.
>
> Tu carne es como la mía
> Desea tras el agua y el sol el roce de la
>   [sombra;
> Nuestra palabra anhela
> El muchacho semejante a una rama florida
> Que pliega la gracia de su aroma y color en
>   [el aire cálido de mayo;
> Nuestros ojos el mar monótono y diverso,
> Poblado por el grito de las aves grises en la
>   [tormenta,
> Nuestra mano hermosos versos que arrojar
>   [al desdén de los hombres.
>
>   RD., p. 113.

Esa soledad del poeta, todavía reiterada en «Himno a la tristeza»:

> Viven y mueren a solas los poetas,
> Restituyendo en claras lágrimas
> La polvorienta agua salobre,
> Y en la alta gloria resplandeciente
> La esquiva ojeada del magnate henchido,
> Mientras sus nombres suenan

176

Con el viento en las rocas,
Entre el hosco rumor de torrentes oscuros,
Allá por los espacios donde el hombre
Nunca puso sus plantas.

RD., p. 124.

Hölderlin es un poeta, por tanto, lleno de fervor religioso, dado que cree en los dioses. Dice Romano Guardini: «Hölderlin es el único poeta al que se debe creer cuando dice que cree en los dioses» [10]. Y continúa Guardini: «El sentido religioso de Hölderlin era extraordinario por su pureza y desarrollo. Puede decirse que tomó la dirección de su vida espiritual. Lo que definitivamente determinó su tabla de valores fue la experiencia religiosa, unida a una potencia maravillosamente pura de visión poética y de expresión. Mas tanto la actitud religiosa como la poética de Hölderlin, distinguíanse profundamente de las características de los tiempos modernos: le faltaba la subjetividad. Su conciencia religiosa se enderezaba no a estados o alteraciones personales, sino a fuerzas y entidades objetivas. La interioridad a que llegaba no era una esfera subjetiva, sino las profundidades del ser real, del hombre singular, del pueblo, del río, o de la montaña, de la planta y del animal, de la tierra, del mar; finalmente, del mundo. Y lo que exigía su temperamento artístico era no comunicar propias experiencias, sino alabar sublimes entidades, publicar potestades, ser anunciador de grandes sucesos y emisario de los mandatos del mundo» [11].

Así le vemos, que continuamente invoca a Las Par-

---

[10] Romano Guardini: *Hölderlin, Weltbild und Frömmigkeit.* Leipzig, 1939, p. 16. (Citado por L. Díez del Corral, *op. cit.,* p. 43).
[11] *Ibid. ibid.*

cas, a los dioses. Y la «Canción al destino de Hiperión», comienza:

> *Vosotros paseáis allá arriba, en la luz,*
> *por leve suelo, genios celestiales;*
> *luminosos aires divinos*
> *ligeramente os rozan,*
> *como la inspiradora con sus dedos*
> *unas cuerdas sagradas* [12].

En Cernuda el fervor se dirige a las gracias que colmarán su deseo, y que se traducen imaginativamente en dioses, en figuras mitológicas, en esbeltos jóvenes, en el demonio hermano, de rizada cabellera, en «eros» de la naturaleza. Su fervor es tan elevado como descreído. Así invoca al amor:

> *Es hora ya, es más que tiempo*
> *De que tus manos cedan a mi vida*
> *El amargo puñal codiciado del poeta;*
> *De que lo hundas, con sólo un golpe limpio*
> *En este pecho sonoro y vibrante, idéntico a*
> *[un laúd,*
> *Donde la muerte   únicamente,*
> *La muerte únicamente,*
> *Pueda hacer resonar la melodía prometida.*
>
> RD., p. 115.

Hölderlin es un poeta en que la atmósfera de sus versos es de melancolía. Melancolía que emana de su exquisita sensibilidad, sobre todo en aquellas composiciones en que la Naturaleza es virginalmente experimentada. Así, las tres últimas estrofas de «Fantasía del atardecer»:

---

[12] Hölderlin, traducción de Luis Cernuda, etc., p. 119.

Por el cielo crepuscular la primavera abre;
rosas innúmeras florecen; quieto semeja
el mundo áureo. Oh, llevadme hacia allá,
purpúreas nubes, y que allá arriba

en aire y luz se aneguen mi amor y sufri-
                                    [*miento.*
Pero como ahuyentado por inútil pregunta
el encanto se va. La noche cae. Y solitario
bajo el cielo, como siempre, estoy yo.

Ven ahora tú, dulce sopor. Anhela dema-
                                    [*siado*
el corazón; mas ahora ya, oh juventud,
también vas apagándote, soñolienta, intran-
                                    [*quila.*
Quieta y apacible es entonces la vejez [13].

Esa atmósfera melancólica nace también de la año-
ranza y nostalgia de Grecia.

Y por fin, melancolía que emana y culmina en el
amor trágico, pasional, por Diótima, la, en el registro civil, Susette de Gontard, relación correspondida,
y amenazada después de inevitable ruptura.

La melancolía cernudiana es producto de la imposibilidad de realización del deseo en la realidad. La salida hacia la naturaleza parte de una desconfianza de
base, la desconfianza que hace que esa salida se le en-
comiende a la mente y a la imaginación, y no al yo
como tal. Cernuda es en este aspecto poeta mucho más
moderno que Hölderlin. Mucho más neorromántico. La
soledad es radical, connatural al hombre:

La soledad poblé de seres a mi imagen
Como un dios aburrido;
Los amé si eran bellos,

---

13 *Ibid,* p. 123.

Mi compañía les di cuando me amaron.
Y ahora como ese mismo dios aislado estoy
Inerme y blanco tal una flor cortada.
Olvidándome voy en este vago cuerpo
Nutrido por las hierbas leves
Y las brillantes frutas de la tierra,
El pan y el vino alados,
en mi nocturno lecho a solas.

RD., p. 123.

Y refiriéndose, personificando a la melancolía, la dice con desesperado reproche:

Dura melancolía,
No en vano nos has criado con venenosa
[*leche,*
Siempre tu núcleo seco
Tropiezan nuestros dientes en la elástica
[*carne de la dicha,*
Como semilla en la pulpa coloreada de al-
[*gún fruto.*
¿Dónde ocultar mi vida como un remordi-
[*miento?*

RD., p. 112.

Hölderlin escribe odas, elegías, himnos. Cernuda se expresa en himnos elegíacos. No hay ambivalencia, como en el alemán. Y cuando a algo lo invoca, lo que hace es invocar, gozarse en esa invocación, no exaltarlo.

Acabamos de decir que Hölderlin ama a Grecia y la mitología, y que tiene nostalgia de ese mundo maravilloso que se ha perdido para siempre. Ese amor de Grecia fue constante. Sus poemas «Hyperion», «Empédocles», «Archipiélago», sus breves composiciones a seres mitológicos, lo muestran. La Grecia de Hölderlin

180

no es algo estético o cultural, sino algo vivo y entero. Busca con el alma la tierra de los griegos. Y no hay bucolismo, o escenarios simbólicos, sino tierra viva. El paisaje griego no es en Hölderlin histórico, ideal o imaginativo, sino algo al mismo tiempo real e íntimo. Como dice Gundolf, para él Grecia era un *apriori*.

Así responde a la interrogación latente en su poema «El único»:

> *¿Qué es lo que*
> *me encadena a las sagradas*
> *orillas antiguas, que yo las amo más*
> *todavía que a mi patria?*
> *Pues como vendido*
> *en celestial cautividad estoy*
> *allá donde pasaba Apolo*
> *en figura de rey...* [14].

Y es más, en el comienzo del poema «Archipiélago», pregunta: «¿Florece Jonia? ¿Es ya tiempo?» Las islas son las florecientes, las graciosas, las madres de los héroes. Para decir el culmen de felicidad que le reporta su amor por Diótima exclama Hyperión: «nuestra vida era como la de una isla recién nacida». Y hatitando Grecia, los seres de la mitología. Héroes como Hyperión y Empédocles; el héroe juvenil y el héroe que divisa la vida sobre dos iguales vertientes. Héroes, dice Cernuda, «vencidos, es verdad, como su creador; mas con derrota que la muerte convierte en victoria» [15].

Dioses también. Y mitos. Símbolos religiosos, a la vez divinos y humanizados, de los remotos impulsos que mueven el mundo: amor, poesía, fuerza, belleza. Símbolos, no obstante, acompañados de una verdadera experiencia religiosa. Por eso esos mitos son a la vez

---

[14] L. Díez del Corral, *op. cit.*, p. 38.
[15] Hölderlin, traducción de Luis Cernuda, etc., p. 117.

«eje de una vida perdida entre el mundo moderno y para quien las fuerzas secretas, misteriosas, son las verdaderas realidades».

En Cernuda tampoco el mundo mitológico tiene una dimensión de recurso decorativo, tal como el propio poeta denuncia de la poesía española y francesa a excepción de Chénier [16]. Pero en Cernuda su sutileza es exquisita. Bien reinventando en los primeros poemas el bucolismo de *Egloga, Elegía, Oda* y Garcilaso, bien reinventando los mitos paganos griegos de Hölderlin en los dos últimos poemas de *Invocaciones,* lo que hace es intentar la salida de su «yo pasional», becqueriano, hacia otro yo, el de la imaginación mitológica conceptuosamente desplegada. Lo que en último término tenemos es a un subjetivista exacerbado, falsamente objetivo, que reinventa, recrea para colmar su deseo, para que su deseo no sufra una nueva frustración, todo un mundo mítico, apoyándose en Hölderlin. Una segunda fosa le señalará que era una falsa salida.

En los primeros poemas, por ejemplo: «Por unos tulipanes amarillos» aparecen estos dioses mitológicos:

> *Cuando a mí vino, alegre mensaje de algún*
> > *[dios,*
> *No sé qué aroma joven*
> *Hálito henchido de tibieza prematura.*

> > > RD., p. 111.

Lo mismo en «La gloria del poeta» y en los dos últimos poemas hölderlinianos. La tristeza, como compasión humana de los dioses, y la existencia del poeta, para quien esos dioses no otra cosa son que sueño. Hablando del poeta ultima el poema:

---

[16] *Ibid*, p. 116.

Y sueña con vuestro trono de oro
Y vuestra faz cegadora,
Lejos de los hombres,
Allá en la altura impenetrable.

RD., p. 126.

En este último poema, parte del lenguaje deriva de la lectura de Hölderlin. El adjetivo «titánico» recuerda la composición traducida por Cernuda: «Los titanes»; la luz divina está referido a uno de los giros recurrentes en Hölderlin: «*das himmlische Feuer*».

En resumen, esta presencia hölderliniana, que se extenderá en la serie siguiente, es más bien, como siempre en Cernuda, de recopilación de materiales o ángulos de experiencia poética nuevos, para reasumirlos en una irreductible unidad, que, apoyándose a la vez en ellos y en la interior experiencia, amplía el mundo cernudiano, pero no lo desvía de su origen.

VII. OBJETIVIDAD, MEDITACION DRAMATICA, NATURALEZA PROYECTADA: LA INFLUENCIA INGLESA

Todos los comentaristas de la poesía de Cernuda están de acuerdo en señalar que en el libro *Las nubes* comienza lo que podría calificarse como la etapa de madurez del poeta. Y asimismo, que la técnica de elaboración poética es sustancialmente idéntica desde ahora hasta su poesía postrera.

Define el objetivo fundamental de esta elaboración el desesperado intento de salida y superación de la subjetividad, que ya en *Invocaciones* había tenido ocasión de manifestarse; bien que operando entonces con un instrumental, cual los puros conceptos, que no lograban otra cosa que remitir una vez más al yo la materia propia de la «poíesis».

A partir de *Las nubes* tal operación se desarrollará echando mano de materiales mucho más humildes, pero también mucho más eficaces. Esos materiales se los aporta al poeta el contacto con la civilización y poesía anglosajonas. Si de la sorpresa e impacto que el encuentro con Inglaterra, cuando, exilado, va a dar unas conferencias en 1938 a Londres, ha dejado constancia puntual en el texto que hemos recogido en el «Perfil biográfico»; igualmente de la cultura y sobremanera de la poesía anglosajona ha hablado Cernuda con una extensión y pasión suficientes para deducir que su madurez poética se debe a ese contacto en gran manera.

La influencia de la poesía inglesa

Dejemos hablar al poeta:

«Continué la lectura, ya comenzada la primavera anterior, de algunos poetas ingleses. Leía, simultáneamente, alguna comedia de Shakespeare, Blake, Keats; acostumbrado al ornato verbal, barroco en gran parte, de la poesía española, que de manera sutil me parecía repetirse en la francesa, me desconcertaba no hallarlo en la inglesa o, al menos, que ésta no hiciera del mismo, como los españoles y los franceses, razón de ser para la poesía. Pronto hallé en los poetas ingleses algunas características que me sedujeron: el efecto poético me pareció mucho más hondo si la voz no gritaba ni declamaba, ni se extendía reiterándose, si era menos gruesa y ampulosa. La expresión concisa daba al poema contorno exacto, donde nada faltaba ni sobraba, como en aquellos epigramas admirables de la antología griega.

»Aprendí a evitar, en lo posible, dos vicios literarios que en inglés se conocen, uno, como *pathetic fallacy* (creo que fue Ruskin quien le llamó así), lo que pudiera traducirse como engaño sentimental, tratando de que el proceso de mi experiencia se objetivara, y no deparase sólo al lector su resultado, o sea, una impresión subjetiva; otro, como *purple patch* o trozo de bravura, la bonitura y lo superfino de la expresión, no condescendiendo con frases que me gustaran por sí mismas y sacrificándolas a la línea del poema, al dibujo de la composición. Ya se recordará cómo, en general, mi instinto literario tendía a prevenirme contra riesgos tales. Algo que también aprendí de la poesía inglesa, particularmente de Borwning, fue el proyectar mi experiencia emotiva sobre una situación dramática, histórica o legendaria (como en «Lázaro», «Quetzalcoatl», «Silla de Rey», «El César») para que así se objetivara mejor, tanto dramática como poéticamente. La luz, los árboles, las flores, del paisaje inglés comenzaron a aparecer en mis versos, para matizarlos con un colorido y claroscuro nuevos. Así fue el norte completando en mí, meridional, la gama de emociones sensoriales.

»Mas ese efecto de la lectura de los poetas ingleses acaso fuera más bien uno cumulativo y de conjunto que el aislado o particular de tal poeta determinado. Al decir eso debo añadir cómo Shakespeare me apareció entonces, y así me aparecería siempre, como poeta que no tiene igual en otra literatura moderna; acaso represente para mí lo que Dante representa para algunos poetas ingleses, completando en éstos, poetas nórdicos, lo que Shakespeare completa en mí, poeta meridional, aunque entre Dante y Shakespeare no haya otra correlación que la de su grandeza respectiva. Al mismo tiempo que a los poetas leía a los críticos de poesía, que en Inglaterra son bastantes y de importancia excepcional: las *Vidas de los poetas,* del Dr. Johnson; la *Biografía literaria,* de Coleridge; las *Cartas,* de Keats, los ensayos de Arnold y Eliot. Me interesaba ya el camino que habían seguido los poetas ingleses para llegar a esos poemas que iba conociendo, así como lo que pensaron acerca de la poesía y las cuestiones concernientes a ella» [1].

Y antes había dicho:

«Si no hubiese regresado (a Inglaterra), aprendiendo la lengua inglesa y, en lo posible, a conocer el país, me faltaría la experiencia más considerable de mis años maduros. La estancia en Inglaterra corrigió y completó

---

[1] Luis Cernuda: *Poesía y literatura,* p. 262.

algo de lo que en mí y en mis versos requería dicha corrección y compleción. Aprendí mucho de la poesía inglesa, sin cuya lectura y estudio mis versos serían hoy otra cosa, no sé si mejor o peor, pero sin duda otra cosa. Creo que fue Pascal quien escribió: "No me buscarías si no me hubieras encontrado", y si yo busqué aquella enseñanza y experiencia de la poesía inglesa fue porque ya la había encontrado, porque para ella estaba predispuesto» [2].

De ambos textos se deduce fácilmente la preponderancia de la poesía inglesa para Cernuda, llegada esta etapa de su experiencia interior.

En varias direcciones se bifurca este beneficio. Pero, dejando para el estudio de la forma la eliminación de los vicios propios de las literaturas meridionales, que Cernuda denuncia, y no ocupándonos tampoco de la asimilación de la teoría de la belleza en Keats, o del demonismo de Blake, o de la meditación sobre la naturaleza y el prosaísmo de Wordsworth, pasemos a deslindar lo que es el más significativo aprendizaje de Cernuda en los ingleses: la llamada «poesía meditativa».

La poesía meditativa inglesa.
Su influencia en Cernuda

José Angel Valente, con rigor y novedad, ha escrito sobre este tema, y ha enfocado desde él toda la poesía de madurez cernudiana [3].

Comienza Valente por anunciar las fuentes en donde, antes que en los ingleses, Cernuda pudo beber para saciar su necesidad de superación de la tradición retórica nacional; en Unamuno, a quien, junto con Machado,

[2] *Ibid*, pp. 259-260.
[3] José Angel Valente: *Las palabras de la tribu.* Ed. Siglo XXI. Madrid, 1971, pp. 127-144.

leía el poeta de Sevilla en su entonces reciente destierro inglés. Aquellas denuncias de don Miguel, dirigidas por igual contra retóricos seudorrománticos y modernistas, y que se expresaban de la siguiente guisa:

«... nuestra poesía española es, en cuanto al fondo, pseudopoesía, huera descripción o elocuencia rimada, y en cuanto a la forma, música de bosquimanos, tamborilesca, machacona, en que el compás mata al ritmo» [4].

Denuncias que llevaban al vasco a abrir para el verso español la posibilidad de alojar un pensamiento poético y que, siguiendo a Wordsworth, Coleridge, Browning, le llevaban a hablar de «poesía meditativa».

Cernuda sigue los pasos de Unamuno y, agotada en su interior la experiencia retórica, busca, temperamentalmente, según él mismo indica en muy diversos pasajes, lo que ya delata en Jorge Manrique: la sumisión de la palabra al pensamiento poético y el equilibrio entre el lenguaje escrito y el hablado.

Para alcanzar tal equilibrio necesitó el poeta ponerse en comunicación con la poesía anglosajona. Y desde ella, como bien señala Valente, fue cuando estuvo en disposición espiritual para valorar toda una zona de nuestra lírica tradicional: Jorge Manrique, Aldana, la «Epístola moral», o San Juan de la Cruz. ¿Por qué camino llegará a esa situación? Por el mismo que Unamuno. Dice Unamuno en carta, que Valente cita, dirigida a Ruiz Contreras, que su labor poética viene a abrirle determinadas posibilidades de manifestación, que no pueden ser realizadas por su prosa:

«Guardo, a la vez, reflexiones acerca de la poesía meditativa, sugeridas por mis frecuentes lecturas de Leopardi, de Wordsworth, de Coleridge, y notas acerca

---

[4] M. García Blanco: *Don Miguel de Unamuno y sus poesías.* Universidad de Salamanca, 1954, p. 44. (Citado por J. A. Valente).

de la forma poética poco amplia y de cadencias muy tamborilescas en castellano» [5].

Lo que Unamuno buscaba en estos autores era llegar a una situación en la que poder expresar en una sola unidad «el pensar el sentimiento y sentir el pensamiento» tan propios de don Miguel. En esa vía sin duda le hubiera sido aleccionador a Unamuno conocer los poetas que practicaron de verdad esa poesía meditativa en Europa: los llamados «poetas metafísicos» ingleses.

Cernuda entró en contacto con ellos en su destierro inglés. De ellos habla en una nota al trabajo «Tres poetas clásicos», preguntándose si entre la poesía mística española y tales metafísicos ingleses no habrá algo más que afinidad fortuita [6]. Era esto en 1941. Y mucho más tarde, en 1955, traduce un poema de uno de ellos, Andrew Marvell, titulado «La definición del Amor», con una acotación muy perfilada, dando nuevos datos reveladores de esa comunicación entre metafísicos ingleses y barrocos españoles, y diferenciando sus mutuas tentativas, con increíble precisión:

«Es probable que algunos de los poetas metafísicos ingleses conocieran la poesía culterana y conceptista española; entre ellos Donne y Marvell y acaso Crashaw, por lo menos, sabían español. Pero los españoles limitaban la función del ingenio a la búsqueda de asociaciones sorprendentes, apenas sin intervención racionalista. A diferencia de lo que ocurre con estos poetas metafísicos ingleses en los versos de los culteranos y conceptistas españoles no hay eco de los descubrimientos geográficos del siglo anterior, los cuales aportan al poeta un material nuevo y brillante; y siendo España, además, el país descubridor, conquistador y colonizador de esas tierras nuevas, su indiferencia es inaudita» [7].

---

[5] *Ibid.*, p. 17.
[6] L. Cernuda: *Poesía y literatura*, p. 52.
[7] *Ibid*, p. 105.

Esta poesía metafísica, cultivada en el XVII inglés por Donne, Herbert, Crashaw, Vaugham y Tratherne, se caracteriza, como muy bien ha señalado el máximo especialista en la materia, Louis L. Martz, en su ya clásico tratado *The Poetry of Meditation* [8], por desarrollar las cualidades propias del «arte de la meditación», costumbre espiritual difundida en Occidente por la Contrarreforma. Define L. L. Martz a la poesía meditativa:

«Un poema meditativo es una obra que crea un drama interior del alma; esta acción dramática es generalmente creada por algunas formas de autodirección, en la que el alma agarra firmemente un problema o situación deliberadamente evocados por la memoria, la presenta a la iluminación completa del conocimiento, y concluye con un momento de iluminación, cuando el locutor mismo ha encontrado, según un tiempo determinado, respuesta a sus conflictos» [9].

Señala agudamente Martz que tales prácticas se ajustan a la estructura meditativa de los ejercicios de San Ignacio, o a las prácticas de meditación recomendadas en los más difundidos tratados de la época: los de Fray Luis de Granada, Fray Diego de Estella, Gaspar de Loarte, Luis de la Puente o San Francisco de Sales.

La primera característica de esa poesía metafísica es el cultivo del *wit*. En los metafísicos *wit* significa, además de sutileza, ingenio o agudeza, juego de palabras, *concetto*, algo más allá, algo como un instrumento privilegiado del espíritu, y «discreción», sabiduría intelectual que no admite nada de la experiencia sensible. El espíritu domina y anula la vida de los sentidos, traba y obstáculo para alcanzar el conocimiento poético. La inteligencia, liberada de los sentidos, concentrada en sí misma, intenta poseerse a sí misma hasta la última raíz.

---

[8] Louis L. Martz: *The Poetry of Meditation*. New Haven: The Yale University Press, 1955.

[9] *Ibid*, p. 330.

Artífice de su propio sufrimiento liberador, el poeta dará a luz una reliquia de la sombra, una herida. El espíritu engendra monstruos de la más extraña belleza.

Esta poesía se logra con la más dura de las ascesis: la mutilación del cuerpo por el espíritu.

Poesía oscura, difícil. Primero deslumbra, ciega. Luego una especie de claridad se hace en nosotros. Nuestro espíritu se agarra a esa luz.

El poeta, torturado en su labor creadora, nos exige el esfuerzo para alcanzar, escalón por escalón, los grados más altos de la pasión intelectual. Unión a la que se llega por el dolor.

Todo esto no es otra cosa que una nueva modalidad del «Ejercicio espiritual», práctica corriente en la época de la Contrarreforma, acuñada en los famosos ejercicios ignacianos. Excluye a los sentidos y a la tarea imaginativa. Es la «desnudez desnuda de toda imagen», de que hablaron los místicos del Siglo de Oro. Desde la cumbre del puro espíritu no puede verse más que luz. Vaugham la llama «noche densa y deslumbradora», en la que el alma anhela «vida oscura e invisible».

Quizá sea John Donne quien mejor ejemplifica la actividad «metafísica». Para Donne, según Eliot, un pensamiento era una experiencia: modificaba su sensibilidad. Su poesía aspira a la transfiguración de todo su ser. En él se confunden vida y creación, poesía-experiencia y poesía-ejercicio. La conciencia es un escalpelo que hace implacable vivisección del hombre. Vivir es pensar la vida, y por abstracción, conferirle el carácter de vuelo místico.

Donne desprecia el lenguaje. Lo destruye, quitando de la palabra todo contenido imaginativo y sensual. La palabra es instrumento. Hay que someterla a la poesía, a un deliberado examen de recursos, descubriendo sus poderes. No hay escarceo verbal, sino hermetismo. Tras el cultivo del *concetto* se oculta un alambique que destila la droga que ha de abrir a los elegidos las puertas de un nuevo cielo.

Y así los demás. De ahí la nota de Cernuda al poema de Marvell «La definición de Amor», donde la paradoja constante (definición y amor, geometría y platonismo, amor material y amor espiritual) es un ejercicio mental, una actividad del pensamiento cercano a Spinoza.

El eje de la práctica meditativa, eliminados los sentidos y la imaginación (y aquí piénsese en las características tan definidas en ese aspecto de la prosa ignaciana, tal como ha estudiado recientemente Barthes [10], o del estilo jesuítico en arte) está en la combinación del análisis mental con la volición afectiva. Tal combinación es lo que ha hecho posible esa, según Martz, «mezcla particular de pasión y pensamiento», característica de los metafísicos. O como Eliot dice: «la poesía de los metafísicos es una aprehensión sensorial directa del pensamiento o una recreación del pensamiento en sentimiento» [11].

Esa particular presencia del pensamiento-pasión, dice Valente, en poemas cuya estructura responde por entero a la técnica de la poesía meditativa es la característica central de la obra de madurez de Cernuda.

Técnica metafísica que consiste en un avanzar en el poema a la vez que se avanza en la meditación. Algo parecido a lo que Cernuda hace referencia, cuando, al hablar de su experiencia como profesor en Cranleigh School, dice:

«Por otra parte, el trabajo de las clases me hizo comprender como necesario que mis explicaciones llevaran a los estudiantes a ver por sí mismos aquello de que yo

---

[10] R. Barthes. *Sade. Fourier. Loyola.* París. Le Seuil, 1971.

[11] T. S. Eliot: *The Metaphysical Poets.* «Selected Essays», 1917-32. New York, 1932, pp. 245-248. (Citado por J. A. Valente).

iba a hablarles; que mi tarea consistía en encaminarles y situarles ante la realidad de una obra literaria española. De ahí sólo había un paso a comprender que también el trabajo poético creador exigía algo equivalente, no tratando de dar sólo al lector el efecto de mi experiencia, sino conduciéndole por el mismo camino que yo había recorrido, por los mismos estados que había experimentado, y, al fin, dejarle sólo frente al resultado» [12].

Esta influencia de la poesía meditativa no es recibida por Cernuda sólo de los metafísicos del XVII, sino del contacto con toda una tradición poética. Los supuestos siguen siendo esencialmente los mismos para los poetas alineados en la gran tradición anglosajona: Blake, Wordsworth, Hopkins, Yeats, Browning, Eliot.

Dice Martz que la disciplina de la meditación estaba destinada a desarrollar un estado de espíritu que no difiere del descrito por Coleridge en su explicación del mecanismo creador de la imaginación. Dicha descripción ha sido traducida así por Cernuda:

«El poeta, a su vez, en perfección ideal, pone en actividad el alma entera del hombre, así como sus facultades (subordinadas unas a otras, según su valor y dignidad), y difunde un tono y espíritu unificador, fundiendo, por así decirlo, unas facultades con otras. Operación que se efectúa, precisamente, gracias a aquel poder mágico de síntesis, al cual Coleridge atribuye de modo exclusivo el nombre de imaginación. El poder de la imaginación, movido por la voluntad y el entendimiento y bajo el control de ambos, se revela en cierto equilibrio o reconciliación de cualidades contrarias: lo idéntico con lo diferente, la idea con la imagen, lo individual con lo representativo, lo nuevo con lo familiar,

---

[12] L. Cernuda: *Poesía y literatura,* p. 260.

un estado emotivo usual con otro desusado, el juicio firme con el entusiasmo profundo» [13].

Esta síntesis de la imaginación como coronación es idéntica a la coronación del proceso contemplativo. Y, como afirma Valente, también la experiencia unificada es la culminación y virtud última del proceso poético en Cernuda. Y así lo afirma en uno de los poemas de *Vivir sin estar viviendo,* el que lleva por título «El poeta»:

> *Gracias por la rosa del mundo.*
> *Para el poeta hallarla es lo bastante,*
> *E inútil el renombre u olvido de su obra,*
> *Cuando en ella un momento se unifican*
> *Tal uno son amante, amor y amado,*
> *Los tres complementarios luego y antes dis-*
> [*persos:*
> *El deseo, la rosa y la mirada.*

RD., p. 253.

Señala Valente que en tales poemas de la época de madurez la composición de lugar y el análisis mental de sus elementos se combinan de modo típico con el poder unificador del impulso afectivo. Esa capacidad de servidumbre al medio verbal, ese sentido de la composición, ese desarrollarse del poema ante nosotros hasta que agote todas las posibilidades de existencia, se da, de una manera o de otra, en la mayoría de los textos. Valente señala como modelos en este aspecto «El ruiseñor sobre la piedra», «Elegía anticipada» o «Río vespertino». Y también en los más cortos; aquellos en forma de canción que Cernuda utiliza en un sentido bien distinto al de la canción tradicional, desproveyéndolos de lo que en tales canciones hay de ritmo y rima

---

[13] Luis Cernuda: *Pensamiento poético en la lírica inglesa.* Imprenta Universitaria. México, 1958, pp. 74-75.

preestablecidos sin ser dictados por la propia ley del poema. Es en tales canciones donde Cernuda expone, de manera similar al soneto barroco, aunque no tan cerradamente, un pensamiento poético nutrido de emoción.

Como ejemplo, entre mil, podemos citar, con Valente, este trozo de «El retraído»:

> *Si morir fuera esto,*
> *Un recordar tranquilo de la vida,*
> *Un contemplar sereno de las cosas,*
> *Cuán dichosa la muerte,*
> *Rescatando el pasado*
> *Para soñarlo a solas cuando libre,*
> *Para pensarlo tal presente eterno,*
> *Como si un pensamiento valiése más que el*
> > *[mundo.*

RD., p. 249.

El poema dramático. La voz proyectada.
Máscaras, caracteres o «personae»

En tres ocasiones, además de su largo trabajo sobre la poesía inglesa del siglo XIX, dedica Cernuda su atención crítica a la obra de Yeats. Traduce el poema «Bizancio», compara la obra poética del irlandés con Juan Ramón Jiménez, y le dedica el extenso trabajo titulado «Yeats». Si en los demás hay referencias a su propia obra, es en ese trabajo donde aparecen extractados aquellos temas y principios críticos expuestos por el escritor irlandés en sus cartas, que le preocupan fuertemente al propio Cernuda. Dejando de lado el entendimiento de la obra de arte como un organismo vivo, no encerrándose en un molde previo, o la importancia capital del uso de las palabras, que siempre están tomando algún uso secundario convencional y hay que detener las fugitivas y hacerlas que recobren su sentido, o la hermosura como fin y ley de la poesía —véase a Keats— o el evitar la exageración sentimental para unirse con la pura energía del espíritu, deseando que el poema sea «todo emoción y todo impersonalidad», nos vamos a fijar en un tema capital de Yeats, el de la voz proyectada y la máscara. La palabra «máscara» aparece constantemente en los escritos de Yeats durante la primera década del siglo XX, y para indagar su sentido hay que acudir a su vida y a su obra. Siempre fue dado el poeta irlandés a esconder su yo íntimo, y en agosto de 1910 escribe la canción «The Mask». En unos versos de ella expone, según Cernuda, su pensamiento: *True love makes one a slave / Less than a man* (Amor verdadero nos hace esclavos / menos que hombres).

En esta primera época el sentido de la máscara, en Yeats, es que ella es la personalidad social, el yo social, incluyendo ahí la diferencia entre el concepto que de nuestra personalidad tenemos nosotros y tienen los otros.

Pero, según Cernuda, la palabra tiene otro sentido que va de acuerdo con la timidez y desconfianza del poeta:

«Y ese sentido es el de ser la máscara un arma para defendernos y que no nos hagan daño, algo interpuesto entre la vida y nosotros. Puede ser, también, un arma de ataque, signo de un ideal heroico de nosotros mismos: "Para ser grandes, dice un personaje de *The Player Queen,* debemos parecerlo, y una apariencia que dura toda la vida, no difiere de la realidad"». El poeta quería que entre la realidad y el sueño hubiera una relación, haciendo del sueño fuerza directora en la vida. En 1909 escribe: «Creo que toda felicidad depende de la energía con que asumamos la máscara de un otro yo; que todo el gozo de una vida creadora consiste en renacer como algo que no seamos, algo que no tiene memoria, a lo que se crea en un momento y se renueva perpetuamente» [14].

Yeats, para conseguir estas máscaras utiliza los personajes de su teatro, o su multiforme actuación en la vida, o en sus poemas recrea voces en diálogo dialéctico. Es decir, al igual que Eliot, proyecta su voz para establecer una distancia entre sí mismo y su poesía, mediante la creación de otra voz poética. En ellos aprende Cernuda esta proyección y la cultiva.

Desde tal perspectiva, se puede observar uno a sí mismo. Y a la vez esta proyección a otro punto focal es la que atrae al espíritu del poeta, y es a su vez proyectada desde la concentración de su propia imagen. Algunas de estas «voces proyectadas» o «caracteres» con los que el poeta crea, son autónomos en sí mismos, y no se le parecen. Otros poseen elementos que se reconocen claramente como subjetivos, que rompen la cerrada figura del creador. Estas proyecciones hacia fuera juegan un papel considerablemente diferente de lo que es su voz interior. En este intento de ser lo que no es, el poeta se exterioriza a sí mismo en otro, en orden a la comunicación sentimental, y que es mera expresión personal de sí mismo. Es lo que se denomina con el nombre clásico de «persona», cuya traducción del latín sería «máscara».

«El símbolo de la exterioridad de la creación literaria es la máscara, con la que, a semejanza de una creación, el autor no se comunica directamente ,sino encubierto creando personas o caracteres ficticios, que le evidencian más o menos, y que hablan sus palabras» [15].

La manipulación de las voces poéticas en la poesía de madurez de Cernuda le impulsa lejos de sí mismo,

[14] L. Cernuda: *Poesía y literatura II*, pp. 177-178.
[15] Alexander Coleman: *Other voices: A study of the late poetry of Luis Cernuda.* Chapell Hill, The University of North Carolina Press, 1969, pp. 84-85.

creando «otros», desde los que verse. El «desdoblamiento», del que dice J. O. Jiménez:

«... un desdoblamiento del yo poético, que permite al
discurso lírico surgir como un monólogo o, si se quiere,
como un diálogo dramático. La forma más sencilla y
elemental será la del uso de la segunda persona, de un
tú, que apuntaría a la única alteridad posible, por ahora, de un poeta que canta desde los posos más hondos
de su soledad» [16].

El hecho de que la poesía madura de Cernuda tenga
la forma, a veces, de diálogo, bien dirigiéndose a sí
mismo, o bien hablando con una voz proyectada de un
carácter dramático creado por él, es la prueba de su
creciente abstracción hacia lo ideológico. El diálogo,
como se sabe, es la forma peculiar de la discusión filosófica, para plasmar las diferencias de juicio. En el caso
de Cernuda parte de un yo simple para ir hacia una
proyección gradual en la voz de otro, que no se parece
aparentemente a él.

La distancia entre lo lírico y lo dramático no con-
cierne solamente a la carga de temas de uno u otro en
el poema. La creación de otro carácter, o persona, o
máscara, es dramático y teatral, y mediante él el poeta
pregunta por su ser a la imagen del espejo, totalmente
fuera de sí mismo. Nadie ha comprendidos los peligros
del lirismo mejor que Yeats, tan admirado de Cernuda.
El hallazgo de Yeats es la creación de un «otro» mítico,
distinto de sí mismo. «Es una relación entre la disciplina y el sentido teatral. Si no podemos imaginarnos
a nosotros mismos como diferentes de lo que somos y
asumir la segunda mismidad, no podemos imponernos
una disciplina a nosotros mismos, lo que sí podrían ha-

---

[16] J. O. Jiménez: *Emoción y trascendencia del tiempo en
la poesía de Luis Cernuda.* «La Caña Gris», otoño, 1962. Páginas 45-84. Recogido en *Cinco poetas del tiempo.* Madrid,
«Insula», 1964, p. 120.

cer los demás con nosotros. La virtud activa, como distinta de la aceptación pasiva de un código, es teatral, conscientemente dramática, el peso de la máscara» [17].

En el caso de Yeats esta objetividad y distancia es ganada por la vía de la máscara. En consonancia con esto está la teoría de Yeats del anti-yo, o anti-ideal. Cernuda participa ligeramente de ella.

La pregunta que está implícita en Yeats y Cernuda, a la hora de elaborar el poema, es si esas máscaras o *personae,* son ofuscación más que revelaciones de los aspectos más pertinentes y significativos de la realidad. No se da tal ofuscación. En esta poesía madura, el uso de máscaras conviene a las contradicciones con las que el poeta se enfrenta. Tales divergencias las soportan esas *personae* y el poeta se limita a la función de *narrator.* Por ello estas *personae* no oscurecen el yo poético, lo proyectan y explican. Esas máscaras reflejan las complejidades y contradicciones del espíritu humano, de manera comprimida y económica. Objetividad que era muy del agrado de Yeats:

«Encuentro placer en estos versos cuando se me revela que he encontrado dureza y frialdad, y he articulado la imagen con todo lo que es opuesto a mi vida diaria y a la vida de mi ciudad» [18].

El uso de esta «imagen» es similar en Eliot y Cernuda. Para ellos, como para Browning, ese contradictor inventado e ilusorio es donde reside la grandeza del artista; la mímesis consiste en los recursos con los que la subjetividad es borrada y en su lugar aparecen en lucha dialéctico-poética, las criaturas imaginarias que el artista ha puesto en pie.

Por ello, por ejemplo, el Felipe II de «Silla de rey» en Cernuda se expresará en un lenguaje de calderonia-

---

[17] W. B. Yeats: *Autobiography.* New York, 1938, pp. 400-401.

[18] Unterecker: *Yeats.* A. Collection, pp. 31-32.

na majestad. Cada criatura de ficción exige su propia voz, su propia credibilidad, aunque lleve ínsita la soterrada, la larvada melodía del alma del poeta.

La proyección de la voz en Cernuda, como en cualquier otro poeta de los citados, es la base para la creación de una mitología privada, evocando a la vez el poeta la apariencia de una verdad objetiva. Se podría suponer que este esfuerzo del poeta, por llevar a sus versos un carácter objetivo, bien utilizando caracteres religiosos, como Lázaro, o históricos, como Felipe II, tendría un efecto de distracción en el lector, que lo que está buscando debajo es el yo del poeta. Por el contrario, nuestra atracción por él se dirige en exacta proporción a la distancia entre el yo subjetivo del poeta y el poema. El lector está relacionado con tales poemas. En realidad el poeta no se suele dirigir a él, sino a sí mismo o a un opositor, que juega un papel contestatario e incitante. (Demoníaco como en el poema «Noche del hombre y su demonio».)

Otra de las cuestiones que se plantean inmediatamente es la de los grados de objetividad de esas «máscaras» o *personae*. Los usos de la voz poética difieren precisamente en esos grados de objetividad. Eliot ha determinado la definición clásica:

«*The first voice is the voice of the poet talking to himsel or to nobody. The second is the voice of the poet addressing an audience, whether large or small. The third is the voice of the poet when he attempts to create a dramatic character speaking in verse; when he is saying, not what he would say in his own person, but only what he can say within the limits of one imaginary character addressing another imaginary character*» [19].

---

[19] T. S. Eliot: *The Three Voices of Poetry* en «On Poetry and Poets». Londres, 1957, p. 89.

La poesía madura de Cernuda ofrece una variante, el poeta se dirige a un carácter imaginario, no sólo por efecto dramático, sino porque el carácter imaginario quisiera hablarle a él.

En el texto de Eliot antecitado («la primera voz es la voz del poeta refiriéndose a sí mismo, o a nadie; la segunda es la voz que se dirige al público, más amplio o más reducido, la tercera es la voz del poeta cuando intenta crear un carácter dramático en verso: cuando él está hablando, no lo que querría decir en su misma persona, sino lo que puede decir con los límites de su carácter imaginario, dirigiéndose a otro carácter imaginario»), delimita perfectamente estas distancias. Cernuda usa las tres voces continuamente. Y dentro de la tercera aún habría que distinguir, en aquella poesía dramática cuya definición dio el propio poeta como «...poesía dramática; es decir, fluctuación y ajuste incesante de la palabra para trazar con ella los movimientos del pensamiento y de la pasión en la hondura del ser humano»[20]; habría que distinguir, decimos, entre monólogo dramático («Silla de rey», «Lázaro», «Quetzacoatl»), monólogos dramáticos orquestados en poemas dramáticos a varias voces («La Adoración de los Magos»), o diálogo dramático («Noche del hombre y su demonio»).

El maestro del poema dramático y de la creación de caracteres en verso es Robert Browning, a quien Cernuda profesó gran devoción. Browning fue asimismo mentor de Eliot. Dice de él Cernuda en la nota que acompaña a la traducción de su poema «Una toccata de Gallupi»:

«En su poesía discursiva y coloquial muchos de los temas responden a las creencias que rigen la conducta del hombre, acompañados de un análisis sicológico extraordinariamente sutil y certero, siendo frecuente que

---

[20] L. Cernuda: *Poesía y literatura,* p. 111.

exponga puntos de vista diferentes en torno a una situación o problema humano, sin decidir entre ellos, como ocurre en «The Ring and the Book», «Bishop Blougram's Apology», «Mr. Sludge», «The Medium»... Su poesía es de preferencia poesía dramática, es decir fluctuación, etc.» [21].

En último término esta poesía dramática no es sino uno de los modos de la poesía meditativa. Lo que en los metafísicos se hace en una sola persona, en los poetas ulteriores, a partir de Browning y continuando con las figuras cimeras de Yeats y Eliot, es la exploración anímica desplegada en diversos espejos o «máscaras», en vez de en uno solo de ellos. Lo que, en último término, persigue Cernuda es el conocimiento en sí mismo, y, de rechazo, la provocación para que el lector haga de manera análoga. Dice atinadamente Octavio Paz:

«¿Con quién habla el poeta cuando conversa con un héroe del mito o la literatura? Cada uno de nosotros lleva dentro un interlocutor secreto. Es nuestro confidente, nuestro juez y único amigo. Aquel que no habla a solas consigo mismo será incapaz de hablar verdaderamente con los otros. Al hablar con las criaturas del mito, Cernuda habla para sí, pero de esta manera habla con nosotros. Es un diálogo destinado a provocar indirectamente nuestra respuesta. El instante de la lectura es un ahora en el cual, como en un espejo, el diálogo entre el poeta y su visitante imaginario se desdobla en el del lector con el poeta. El lector se ve en Cernuda, que se ve a su vez en un «fantasma». Y cada uno busca en el personaje imaginario su propia realidad, su verdad. Al lado de los personajes del mito y la poesía, las personas históricas: Góngora, Larra, Tiberio. Rebeldes, seres al margen, desterrados por la estupidez de sus contemporáneos o por la fatalidad de sus pasiones, son

---

[21] Id. id.

también máscaras, *personae*. Cernuda no se oculta tras ellas; al contrario, por ellas se conoce y ahonda en sí mismo. El viejo artificio literario deja de serlo cuando se convierte en ejercicio de introspección. En el poema dedicado a Luis de Baviera, otra de sus últimas composiciones, el rey está solo en el teatro y escucha la música «fundido en el mito al contemplarlo: la melodía lo ayuda a conocerse, a enamorarse de lo que él mismo es". Al hablar del rey, Cernuda habla de sí, pero no para sí; nos invita a contemplar su mito y repetir su gesto: el autoconocimiento por la obra ajena» [22].

La Naturaleza en la poesía madura de Cernuda.
La cercanía de la Naturaleza inglesa
y de su utilización en la poesía.

Philip Silver ha estudiado con penetración la conexión existente entre la concepción de la naturaleza de Wordsworth, y la de algunos de los poemas de la madurez de Cernuda. Para Silver, está relacionado con uno de los atributos del Edén, perdido en la infancia y continuamente recordado por el poeta joven o de mayor edad: el ideal de «vita mínima», o ideal vegetativo, términos que utiliza Ortega para definir la actitud del andaluz ante el mundo. A partir de *Ocnos,* según Silver, aparece la expresión de este ideal, y se semeja grandemente a la actitud que ante la niñez adoptaba Wordsworth. Cita Silver el poema del inglés: «*Ode: Intimations of Immortality from Recollections of Early Childhood*». Dice el crítico norteamericano, apoyándose en Lionel Trilling, que esta meditación sobre la infancia está basada en envolver en términos platónicos —el «visionario» resplandor del niño como reminiscencia de

[22] Octavio Paz: *Cuadrivio.* Méjico, 1965, pp. 200-201.

una existencia anterior—, una personal al par que universal experiencia de la infancia. El tema de Wordsworth es la pérdida de la visión del mundo propia del niño y su sustitución por la visión adulta. En este paso, la Naturaleza es significante porque para Wordsworth el mundo natural es el depósito de los símbolos y el único medio que le queda a un hombre que ha perdido sus aptitudes místicas, para tener una experiencia de lo eterno. Cernuda conserva ciertas aptitudes, más que místicas o panteístas, platonizantes. Cernuda se inventa la existencia, y la defiende y canta como existente, de un mundo eterno y objetivo, mundo que lee en la naturaleza, o, para citar a Fichte: «la idea divina del mundo que yace al fondo de la apariencia».

Gracias a esa doble visión el poeta une los dos mundos, revelando «la idea» eterna que yace en el objeto natural cantado:

«Gracias a ella (la poesía) lo sobrenatural y lo humano se unen en bodas espirituales, engendrando celestes criaturas, como en los mitos griegos del amor de un dios hacia un mortal, nacieron seres semidivinos» [23].

Según Silver, y en esto se ha de estar de acuerdo con él, tanto para Wordsworth como para Cernuda un objeto particular cualquiera puede convertirse —el narciso de Wordsworth, la violeta de Cernuda— en símbolo del mundo eterno, aunque ese objeto en su objetiva individualidad muestre, con la misma potencia que el mundo eterno, su carácter como tal objeto, su ser efímero. Aquí vuelven a coincidir ambos poetas en la solución, recurriendo Cernuda al «ojo interior» de Wordsworth, préstamo señalado por vez primera por Leopoldo Panero [24].

---

[23] L. Cernuda: *Poesía y literatura,* p. 199.
[24] Leopoldo Panero: *Ocnos, o la nostalgia contemplativa,* «Cuadernos Hispanoamericanos», 10 julio-agosto, pp. 183-187.

Compara Silver, y le seguimos, los narcisos del poeta inglés con las violetas del sevillano. Los narcisos de «*I wandered lonely as a cloud*», son mortales cuando se les observa directamente, pero este aspecto el poeta lo considera meramente un *show;* se trata sólo de su aspecto ilusorio e irreal. En cambio, cuando evocan en calma su danza, dice Silver, se convierte en un símbolo de la divina organización del universo. Dice así la última estrofa de Wordsworth:

> For oft, when my couch I lie,
> In vacant or in pensive mood,
> They flash upon that inward eye
> Which is the bliss of solitude,
> And then my heart with the daffodils.

> *(Pues a veces cuando en mi lecho yazgo*
> *Pensativa u ociosa el alma mía,*
> *Fulguran ante aquel ojo interior*
> *Que es venturanza de la soledad;*
> *Y se me llena el alma de deleite,*
> *Y danza el corazón con los narcisos.)*

En el poema «Violetas», de Cernuda, se da un fenómeno similar a las operaciones del «ojo interior». Veamos el poema de Cernuda:

> *Leves, mojadas, melodiosas,*
> *Su obscura luz morada insinuándose*
> *Tal perla vegetal tras verdes valvas,*
> *Son un grito de marzo, un sortilegio*
> *Leves, mojadas, melodiosas,*

> *Frágiles, fieles, sonríen quedamente.*
> *Con muda incitación, como sonrisa*
> *Que brota desde un fresco labio humano.*
> *Mas su forma graciosa nunca engaña:*
> *Nada prometen que después traicionen.*

Al marchar victoriosas a la muerte
Sostienen un momento, ellas tan frágiles,
El tiempo entre sus pétalos. Así su instante
                                    [alcanza
A ser vivo embeleso en la memoria.

RD., pp. 177-8.

Varios términos son los que evocan esa segunda realidad eterna o distinta de la objetual concreta. Pero, al final, vemos, como su instante, su existencia efímera alcanza a ser vivo embeleso en la memoria. Ese embeleso es el que pertenece al mundo «eterno». Señala Silver que el sortilegio por el aire tibio, aunado al calificativo «leves, melodiosas» adscrito a «violetas» indican que ellas forman parte de la «belleza oculta», que es misión del poeta percibir. La salvación de las violetas está en la memoria del poeta, que las ve con su «ojo interior».

Se hace necesario precisar que la mirada platonizante cernudiana no se cierra en sí misma, ignorando el papel devastador del tiempo sobre todo lo que pertenece al mundo natural. Al contrario. La palabra «efímero», aparece en las colecciones de poesía madura de Cernuda con una frecuencia e insistencia que antes nunca había tenido. Y en último término, la gran belleza de esos poemas naturales está precisamente en la tensión que se crea al colocar enfrente a ambos mundos, el concreto objetual y el eterno ideal, pero dando la misma importancia a ambos, dotando a ambos de la máxima potencia.

Para designar el mundo eterno Wordsworth recurre a los elementos menos pasajeros del mundo. Así, en el poema «*A Night Piece*», la luna y las estrellas («*how fast they wheel away / Yet vanish not*») son contrastados con el perecedero paisaje terrestre. Cernuda lo obtiene depositando notas super-naturales en los objetos

14

naturales, o haciendo referencia a conceptos genéricos de, por ejemplo, los cuatro elementos básicos, y más que nada después de la lectura de los presocráticos. Esa disposición de Cernuda a ver la naturaleza a manera de sinécdoque, no como señal tan sólo de otra realidad, sino como foco para su propia meditación, se manifiesta en la costumbre de abrir el poema con una descripción estática, designando el sujeto del poema, para añadirle progresivamente, elementos selectivos que lo vayan desvelando. Así en el poema «Cordura»:

> *Suena la lluvia oscura*
> *El campo amortecido*
> *Inclina hacia el invierno*
> *Cimas densas de árboles.*
> RD., p. 154.

Aquí el sujeto es el campo inglés al atardecer. «Oscura», «amortecida», «invierno», «densas», son palabras en las que va el doble sema: el fenómeno natural triste, y su nostalgia. Nostalgia en el exilio, de un mundo perdido, de un mundo hermoso e inexistente, en último término:

> *Un hondo sentimiento*
> *De alegrías pasadas,*
> *Hechas olvido bajo*
> *Tierra, llena la tarde.*
> RD., p. 155.

Y así, para ir revelando sucesivamente, utilizando el sentido simbólico de ese campo inglés entristecido y solitario cerca del crepúsculo, su propia soledad, aún exasperada en la expresión de una esperanza de comunión con los hombres más bien sombría, y finalizar el poema dominando la naturaleza sobre el hombre y siendo el viento eco de la soledad del poeta:

Duro es hallarse solo
En medio de los cuerpos.
Pero esa forma tiene
Su amor. La cruz sin nadie.

Por ese amor espero
Despierto en su regazo,
Hallar un alba pura
Comunión con los hombres.

Mas la luz deja el campo.
Es tarde y nace el frío.
Cerrada está la puerta,
Alumbrando la lámpara.

Por las sendas sombrías
Se duele el viento ahora
Como alma aislada en lucha.
La noche será breve.

RD., p. 157.

En ese, como en otros poemas del ciclo de madurez, verbigracia «Tarde oscura», de la serie *Como quien espera el alba,* los aspectos selectivos de la Naturaleza son manipulados con la misión de representar el mundo interior del poeta, su estado anímico. Introduce contrastes de luz y sombra y denota aquí, además de la fuerte influencia del romanticismo inglés, ciertos hábitos machadianos. Véase si no, en el poema «Primavera vieja»:

Ahora, al poniente morado de la tarde,
En flor ya los magnolios mojados de rocío,
Pasar aquellas calles, mientras crece
La luna por el aire, será soñar despierto.

El cielo con su queja harán más vasto

211

Bandos de golondrinas; el agua en una
[fuente
Librará puramente la honda voz de la tierra;
Luego el cielo y la tierra quedarán silen-
[ciosos.

RD., p. 208.

El esfuerzo de Cernuda para proyectar y objetivar los términos de su propia vida le lleva a hacer valoraciones inusitadas de algunos elementos de la Naturaleza; así, su afinidad y amor a los árboles le lleva más lejos que al mero rapto estético. Los árboles aportan una primera dimensión de intemporalidad porque, quietos, detienen la vida. Los árboles siempre han sido tema obsesivo en Cernuda. Tal obsesión le lleva a escribir tres poemas sobre árboles, diferentes uno del otro. Así el que se titula «Otros aires», donde proyecta, en la pregunta «¿Cómo serán los árboles aquellos»? su curiosidad por la tierra prometida (USA en este caso); después de haber contemplado por más de una década «los hermosos, los bellísimos árboles ingleses: robles, encinas, olmos» [25].

El segundo de los poemas es «El chopo». Le adscribe la fuerte personificación típica de la poesía natural cernudiana dotando al chopo de un alma debajo de la que alienta el alma del propio poeta, que anhela la vida perenne y no perecedera. El chopo, libre de los límites temporales, se adscribe al mundo platónico, y el poeta con él:

Si, muerto el cuerpo, el alma que ha servido
Noblemente la vida alcanza entonces
Un destino más alto, por la escala
De viva perfección que a Dios le guía,

---

[25] L. Cernuda: *Poesía y literatura,* p. 269.

Fije el sueño divino a tu alma errante
Y con nueva raíz vuelva a la tierra.

Luego brote inconsciente, revestida
Del tronco esbelto y gris, con ramas leves,
Todas verdor alado, de algún chopo,
Hijo feliz del viento y de la tierra,
libre en su mundo azul, puro tal lira
De juventud y amor, vivo sin tiempo.

RD., p. 219.

En el tercero de los poemas: «El árbol», dedicado a un plátano centenario del jardín de los Fellows del «Emmanuele College» de Cambridge, el poeta insiste en el concepto del árbol como intemporal, libre del engaño mortal. Idea reforzada por la continua presencia de la juventud bajo sus ramas:

Al lado de las aguas está, como leyenda,
En su jardín murado y silencioso,
El árbol bello dos veces centenario,
Las poderosas ramas extendidas,
Cerco de tanta hierba, entrelazando hojas
Dosel donde una sombra edénica subsiste.

....

Sueño septentrional que el sol casi no rompe,
Y hacia el estanque vienen rondas de mozos
[rubios:
Temblando, tantos cuerpos ligeros, queda el
[agua;
Vibrando, tantas voces timbradas, queda el
[aire.

RD., pp. 242-244.

Entre esa juventud libre, y «los otros», aquellos que soportan y endurecen una ley social, bestias asombradas pasivas ante el dolor:

213

Sin urgencia interior los gestos aprendidos,
legitimados siempre por un provecho estéril
ya grey apareada, de hijos productora.

RD., p. 243.

Entre ambos extremos, decimos, interpone el poeta una figura imaginaria, que no es otra que el propio poeta, que, haciendo pausa en medio del camino («*mezzo del cammin*», de Dante; «*Hälfte des Lebens*», de Hölderlin) ha pasado de «mozo iluso» a «pájaro extranjero» en nido que otro hizo. Frente a todo esto, el árbol simboliza el mundo perfecto, el mundo platónico del que es habitante por derecho:

Mientras, en su jardín, el árbol bello existe
Libre del engaño mortal que al tiempo en-
                              [gendra,
Y si la luz escapa de su cima a la tarde,
Cuando aquel aire ganan lentamente las
                              [sombras,
Sólo aparece triste a quien triste le mira:
Ser de un mundo perfecto donde el hombre
                              [es extraño.

RD., p. 244.

También en otros poemas con motivos florales el poeta pierde su identidad y se introduce a sí mismo en la animada inmortalidad que representan. Así en «Violetas» y en «Otros tulipanes amarillos». La relación vital entre belleza y nostalgia es algo inmediatamente evidente, y Cernuda pasa de la simple contemplación de la flor a la meditación del tiempo ido y la belleza «recordada».

Igualmente, el mundo cerrado del jardín atrae a Cernuda. Como ejemplo el poema titulado «Jardín»:

Desde un rincón sentado
Mira la luz, la hierba,
Los troncos, la musgosa
Piedra que mide el tiempo

Al sol en la glorieta,
Y las ninfeas copos
De sueño sobre el agua
Inmóvil de la fuente.

Allá en lo alto la trama
Traslúcida de hojas,
El cielo con su pálido
Azul, las nubes blancas.

Un mirlo dulcemente
Canta, tal la voz misma
Del jardín que te hablara.
En la hora apacible

Mira bien con tus ojos,
Como si acariciaras
Todo. Gratitud debes
De tan puro sosiego,

Libre de gozo y pena,
A la luz, porque pronto
Tal tú de aquí, se parte.
A los ojos escuchas

La pisada ilusoria
Del tiempo, que se mueve
Hacia el invierno. Entonces
Tu pensamiento y este

Jardín que así contemplas
Por la luz traspasado,

Han de yacer con largo
Sueño, mudos, sombríos.
RD., pp. 194-5.

En él están todos los elementos propios del poema
meditativo cernudiano. Dirigiéndose a sí mismo, juega
con el doble sentido de jardín intemporal, personifica-
do, dotado de agua inmóvil, voz en la voz del mirlo,
sosiego puro, luz; y por otra parte, el jardín que ha de
yacer, mudo, sombrío, como el pensamiento del poeta,
llevado de la pisada ilusoria del tiempo, hacia el invierno de la soledad.

La más clara indicación de que el poeta ha cambiado
el foco, trasladando hacia sí mismo la descripción de la
realidad, es el hecho de que el vocabulario comienza a
moverse en el terreno de la irrealidad y enlaza lo que
ha visto y su experiencia.

El otro poema, «Jardín antiguo», la plácida observación natural es utilizada con diversa función. Las cuatro estrofas del poema, magistralmente introducidas por
cuatro intemporales y detenidos infinitivos: «Ir», «Oír»,
«Ver», «Sentir», todos los primeros referidos a una sen-
sorialidad quieta, y el último, por mor de esa sensoria-
lidad, llevado al recuerdo, mostrando ese esencial «engaño» del mundo concreto, perfectamente armonizados
con una adjetivación que da la dimensión estática del
jardín: «cerrado, tibio, viejas, hondo», configuran un
poema ejemplarmente platónico.

Ir de nuevo al jardín cerrado,
Que tras los arcos de la tapia,
Entre magnolios, limoneros,
Guarda el encanto de las aguas.

Oír de nuevo en el silencio,
Vivo de trinos y de hojas,

216

El susurro tibio del aire
Donde las almas viejas flotan.

Ver otra vez el cielo hondo
A lo lejos la torre esbelta
Tal flor de luz sobre las palmas:
Las cosas todas siempre bellas.

Sentir otra vez, como entonces,
La espina aguda del deseo,
Mientras la juventud pasada
Vuelve. Sueño de un dios sin tiempo.

RD., p. 166.

En las meditaciones de la naturaleza de Cernuda, siempre nos llega la fragilidad de su otro yo, su real pudor verdadero. La Naturaleza toma en él el carácter de un objeto buscado y manipulado para prolongar la existencia humana. Manipulación que no sólo en la Naturaleza, sino después en el canto a las catedrales, o al Escorial, muestra una de las facetas de esta extensión fuera de sí mismo del poeta, su «proyección».

En última instancia, la naturaleza de que Cernuda habla, no es, aunque el apoyo inmediato lo sugiera, la concreta naturaleza que le envuelve, sino la antigua naturaleza, divinidad, madre de dioses y mitos. Dice Octavio Paz:

«La naturaleza no es ni materia ni espíritu para Cernuda: es movimiento y forma, es apariencia y es soplo invisible, palabra y silencio. Es un lenguaje y más: una música»[26].

El crítico mejicano llega a hablar de una naturaleza religiosa:

«... la veneración, en la acepción de respeto por lo

---

[26] Octavio Paz: *Op. cit.,* p. 196.

santo y lo divino, que le inspiran cielos y montañas, un árbol, un pájaro o el mar, siempre el mar, son constantes desde su primer libro hasta el último. Es un poeta del amor, pero también del mundo natural. Su misterio lo fascinó. Va de la fusión con los elementos a su contemplación, evolución paralela a la de su poesía amorosa. A veces sus paisajes son tiempo detenido y en ellos la luz piensa como en algunos cuadros de Turner; otros están construidos con la geometría de Poussin, pintor que fue uno de los primeros en redescubrir» [27].

Pero, creemos, las palabras de O. Paz han de ser enmarcadas. En contraste con la simplista actitud romántica, la alianza de Cernuda a las cosas no inquiere hacia el infinito. Los elementos de la naturaleza, por el contrario, están reordenados para dar trascendencia hacia fuera, a su yo. Falsa trascendencia: en primer lugar, la imposición del nuevo orden depende de la acción y de la voluntad del poeta. La fusión del poeta con las cosas limita con su propia muerte. Estamos ante un afán de pervivencia lejano a la sed de eternidad de Unamuno.

Porque, y aquí es donde a nuestro parecer radica el secreto último de toda la poesía cernudiana de madurez, ese afán de proyección y objetivación, esa recepción de un mundo objetivo, para, mediante la meditación del poeta, leer la doble realidad, engañosa y eterna del mundo, no es otra cosa que una actividad de su inteligencia, o lo que es igual, no es otra cosa que una actividad puramente subjetiva, de un espíritu encerrado en su propia elaboración interior, cual la de los metafísicos ingleses, sólo que amplificada a la percepción de los sentidos y de la fantasía. En último término, el encerrado pensamiento de Cernuda se debate por desdoblarse y proyectarse, pero no otra cosa logra que la creación de un orbe limitado por ese propio pensamiento que lo

---

[27] Id. id.

ha recreado sobre los datos objetivos del mundo, sea éste el externo o el interior. O lo que es lo mismo, aquella primera extroversión del yo tentada en el libro *Invocaciones,* y, excesivamente gruesa en rasgos idealistas, bajo la inspiración de Hölderlin, es ahora nuevo intento, más sutil, a base de máscaras, a base de mirada serena sobre los tranquilos espejos de la Naturaleza, a base de meditaciones de elegante énfasis ante los grandes y perennes monumentos que la historia ha creado y perdonado, pero en último término, actividad del yo, y dentro del yo. Recreación sutilísima, inédita en nuestra poesía, de la realidad, pero estructura del pensamiento al fin. Y en el fondo de esa recreación, una incredulidad tanto más devastadora cuanto más agudamente disimulada. Aquí radica uno de los rasgos más incisivos de su fresca modernidad.

VIII. A MODO DE RESUMEN

En el breve panorama que acabamos de trazar de las distintas presencias detectables en la obra de Cernuda, algo se ha de concluir de inmediato como nota prioritaria: su enorme personalidad poética.

Así, en el acarreo de contactos con poetas afines durante la primera etapa creadora, vemos que, cuando de veras han existido, han sido asimilados y de tal manera absorbidos dentro de su atmósfera intransferible, que ni los desaprensivos críticos coetáneos, ni la mayoría de los estudiosos de la poesía contemporánea de hoy, han ni siquiera sospechado que existieran.

El Cernuda principiante, frente a la tradición, opta por asumirla en vez de rechazarla. Acepta la tradición del simbolismo, establecida por Juan Ramón Jiménez, y la refuerza con la lectura de Mallarmé. Pero no se somete pasivamente a la norma de la época. Una actitud activa hacia las influencias que le afectan le hace indagar lo que a su espíritu conviene. Las influencias de *Perfil del aire,* como las del resto de sus libros, son más que nada de afinidad espiritual. Todas le ayudan a expresar su propia identidad. Casi todas son afines a su sensibilidad personal; no idénticas. Recuérdese la adaptación hecha por él del giro de Pascal: «No me buscarías si no me hubieras encontrado».

Las influencias de *Perfil del aire* son los espejos donde el poeta aprendió a conocerse. Espejos que no se identifican tampoco con la conciencia cuya imagen proyectan. Ha dicho Cernuda en otra ocasión: «Ocurre a veces en la historia literaria el caso de que un poeta, leyendo a otro, puede encontrarse frente a una experiencia que refleja la suya propia, aunque no se hubiera antes dado cuenta de haberla experimentado.»

Esta aseveración, que él aplica a la relación de la poesía de J. R. J. y Yeats, es asimismo buena en su propio caso.

Reverdy proyecta en el espejo de la conciencia de Cernuda la desnudez, la pureza, mas no en relación de identidad, ya que Reverdy habla en términos religiosos, de absoluto, mientras que Cernuda se mueve en coordenadas estético-éticas.

Jiménez y Mallarmé, inevitables estelares, son espejos que le muestran la necesidad simbólica de expresión de sus experiencias, para elevarlas a poesía. Pero tampoco proyectan en identidad: en ambos las imágenes se acercan sólo y les interesa sólo la obtención de belleza, bien sea ella retórica o impresionista. En Cernuda es la ética de lo estético lo que prima. La ética vital dentro de lo estético.

Pedro Salinas le muestra también la desnudez, y la transfiguración artística del mundo tecnológico, dentro de la tradición castellana. Pero espejo tan sólo afín una vez más. Esa desnudez conceptuosa difiere de la desnudez experiencial adolescente de Cernuda. La estética tecnológica no es en Cernuda jocosa, cual lo era en el poeta madrileño. Es sarcástica, es exaltación, bajo recámara de melancolía o de desesperaciones.

Y Jorge Guillén, espejo en el que Cernuda se mira con insistencia, con sed, cual conciencia adolescente que se abre apoyándose en una experiencia que se sospecha guiadora. Quizá en aquel diamantino mediodía que emana de *Cántico* esté el amado que colma los anhelos. Quizá en la fórmula clasicista, ya aprendida en renacentistas y barrocos, se halle la condensación de ese mediodía. Pero, una vez más, cercanía; que no identificación. El acercamiento de Cernuda al mundo, más que bajo patente de fe de vida, es reticente, cubista, receloso. Poco durará el espejismo.

En la segunda etapa, Garcilaso va a jugar un papel diferente: no se trata ya de contemplar a través de otros ojos poéticos la realidad por vez primera, sino de probarse a sí mismo que no hay obstáculo grave entre ella y fórmulas o motivos intemporalmente poéticos, clásicos. Cernuda intenta alcanzar así mayor objetividad para su experiencia y mayor capacitación para su sabiduría formal. Por eso le interesa Garcilaso, cuya obra es resultado de un conflicto espiritual: el del contraste entre la belleza poética y la apariencia vulgar de su mundo circundante. Conflicto similar al de Cernuda, cuya égloga, elegía y oda no son sino documentos de sucesivas frustraciones en el intento de armonizar la belleza como ideal y la imposibilidad de su alcance.

Analogía, que no identidad, entre Garcilaso y Cernuda en estructuras, actitudes y temas amorosos (amada concreta y desdeñosa en el renacentista, narcisismo desmedido en Cernuda, inconcreto, ensimismado, que regresa y huye a su olímpica belleza), o soledad y tristeza que se concretan para Garcilaso en recogimiento para mejor gozar del dulce sentimiento amoroso, mientras que en Cernuda no otra cosa reflejan que imposibilidad de amor y la sorda soledad del mundo. O, para no proseguir enumerando, los términos petrarquistas, «mármol», «hielo», «nieve», no operan en Cernuda sino como símbolo de lo apolíneo, distancia infinita, amado imposible, suma belleza altísima.

La asunción de las fórmulas garcilasistas, como ampliaciones de las tímidas corporeizaciones subjetivas de *Perfil del aire,* lo son sin enajenar los motivos radiales del canto, actuando como reductores de esa subjetividad adolescente en favor, como ya hemos dicho, de una reflexión distanciadora y de una órbita imaginativa más poderosa.

Dentro de este movimiento constante de ampliación de su obra poética ha de verse su siguiente etapa, configurada dentro de la órbita surrealista. Surrealismo que no es en él, como se ha escrito, imitación del francés, sino consecuencia de líneas muy en la tradición española: tremendistas a veces e incluso satanistas, como corrección a su sensibilidad perezosa. El hastío vital y el hastío del movimiento literario español del momento le conducen a violencias y rebeliones irracionalistas, que encuentra coincidentes con sus deseos, y que por eso prenden en él con más fuerza. Mas no todo en la etapa surrealista de Cernuda es caos. Ni la escritura automática llega a romper en él del todo esquemas métricos y melódicos (aunque le lleve a prescindir de la rima y a utilizar el verso libre y el versículo), ni esa realidad a la que se hace cambiar mediante la búsqueda de relaciones impresionistas y profundas, logra provocar otra cosa que desorden en el orden. No hay que olvidar que el poeta que más interesa a Cernuda es P. Eluard, y que en último término lo que para él representa el surrealismo es un antídoto contra la deshumanización. Y en esta misma línea, algo que subyuga al Cernuda surrealista, la modernidad. Prueba de que su parentesco con el movimiento no es mimético ni a merced de la corriente; más bien muestra voluntad terca de ruptura con el pasado. Y por eso, el jazz, el cine, los Estados Unidos como paraíso de juventud, le entusiasman.

Conforme la obra de Cernuda avanza, se va acrecentando su caudal de afluencias. Y así, sin que la práctica surreal haya remitido del todo, escribe *Donde habite el olvido,* y una brusca sorpresa despista al lector. Es un libro de poesía amorosa en el que no escasean los motivos becquerianos. Sutilmente el poeta saca fuerzas de flaqueza y desde su reducto de actividad antirracional construye, en avance paralelo a Bécquer, un novedoso canto de urogallo, aún más desesperado que las *Rimas.* La chispa eléctrica becqueriana adquiere potencial en Cernuda. En el doble juego de recuerdo y olvido, difieren ambos considerablemente. Para Bécquer, el olvido es reposo y el recuerdo, dolor por la pérdida de un amor que fue o que pudo ser. En Cernuda, ese recuerdo no otra cosa aporta que dolor por la radical fugacidad de todo amor, y el olvido, en vez de descanso, lo que provoca es desesperación y recuerdo de un presente imposible. El deseo cernudiano se mueve en el ámbito de las sombras trascendentes, pudiéramos decir metafísicas. Por eso califica al amado como «joven dios», «arcángel», «demonio», y su risa es metafísica burla que dispensa al amante. Y por eso, el hierro becqueriano y la herida amorosa aparecen en Cernuda como desgarrón inexorable entre realidad y deseo. Y hasta el refugio de la Naturaleza a donde Bécquer acude para guarecerse contra la esquividad, encuentra en Cernuda una réplica sombría, de paisajes fúnebres.

Nada de extraño, por tanto, en el encuentro del poeta con Hölderlin, quien se sitúa a medio camino entre el meditar metafísico y el lirismo profético. El siguiente libro de Cernuda *Invocaciones* emana esa atmósfera sólo detectable en un postromántico tan singular como Hölderlin. Aunque en Cernuda la veta metafísica adquiera perfiles éticos.

Varias son las concomitancias entre ellos. El sentimiento de la naturaleza: confiado, íntimo e inmediato en el alemán; en Cernuda, construcción necesaria para dar salida a un deseo, cuyo primer intento de realización había fracasado. El destino del poeta: «intermediario» entre los hombres y la divinidad para Hölderlin; aislado contemplador de la belleza que precariamente ha reconstruido, según el sevillano. La religiosidad: verdadera en el alemán; entrevista como gracias que colmarán su deseo en Cernuda. La melancolía: nostalgia de Grecia para el humanista postromántico; producto de la imposibilidad de realización del deseo en el autor de *Donde habite el olvido*. Las composiciones poéticas: odas, elegías, himnos, en aquél; himnos elegíacos en éste.

Podemos decir que Hölderlin enriquece cada momento vivido con la experiencia vital anterior, y eso es lo que le importa por encima de todo. Mientras que en Cernuda lo importante en esta etapa de *Invocaciones* es el erotismo del instante, visto ese instante como el resultado de una inferencia mental.

Y, para dar fin a nuestro resumen, la larga etapa de su poesía de madurez y la plural influencia que en ella ejerció la tradición cultural y la poesía inglesas. Lo que en principio pudo aparecer a Cernuda, recluido en los largos inviernos de la postguerra en las bibliotecas universitarias anglosajonas, mero contacto cultural, se ramifica y provoca una ampliación superior, suprema, de su visión artística.

Corrigiendo engaños sentimentales, bonituras de expresión, se impregna del espíritu del poema meditativo propio de los metafísicos ingleses, y reutilizado por Yeats y T. S. Eliot. De él obtiene esa síntesis de la imaginación como coronación idéntica a la coronación del proceso contemplativo. Una experiencia unificada, virtud última del proceso poético del sevillano. El sentido de la composición del poema, que los metafísicos vieron en la combinación de la composición de lugar y el análisis mental con el poder unificante del impulso afectivo.

Y en igual sentido, el poema dramático, y las «máscaras» como armas para defendernos, algo interpuesto entre la vida y nosotros. Esos contradictores inventados e ilusorios, recursos con los que la subjetividad es borrada, y, en su lugar aparecen, otras maneras de concebir la vida y el arte, en lucha dialéctico-poética.

Y, en fin, la Naturaleza anglosajona, palpable en Wordsworth. Naturaleza que hace volver a Cernuda a la infancia, y que actúa a modo de sinécdoque, y no sólo revelando la otra realidad, la idea eterna que subyace en la realidad natural, sino como foco para su propia meditación.

Admirable árbol el de la poesía cernudiana, continuamente enriquecido y continuamente potenciado, revelador de una personalidad poética singularísima.

APENDICE

LA LITERATURA CRITICA
SOBRE CERNUDA

Luis Cernuda, poeta singular dentro de los muy singulares y privilegiados poetas de su generación, no ha disfrutado hasta el presente de estudiosos a la altura de su obra. Ello parece que en los próximos años va a subsanarse, pues que continuamente nos llegan noticias de nuevas tesis doctorales, trabajos de elaboración, sobre el poeta y sobre su poesía.

Quizá no pequemos de generalización excluyente si afirmamos que, quienes hasta ahora leve o extensamente han trabajado en ello, han incurrido —salvo media docena de, por lo raras, aún más egregias excepciones— en ligeros desvíos de enfoque. Se han formulado afirmaciones sobre la poesía de Cernuda que, más que erróneas en bloque, pueden parecer abarcadoras en exceso, faltas de matiz. El somero análisis de algunos trabajos más importantes evidenciará algo de lo anterior, y, sobre todo, la gran calidad crítica y de sensibilidad, de los más asiduos al poeta.

En tres apartados ha parecido pertinente recorrer el estudio de la literatura crítica: números monográficos de revistas, artículos relevantes en revistas, libros totalmente dedicados a la poesía cernudiana.

Cuatro revistas han dedicado uno de sus números al recuerdo o a la disección de la obra y personalidad del poeta sevillano. Dos de ellas, *Cántico,* de Córdoba, y *Revista Mexicana de Literatura,* de Méjico, tienen una intención más rememorativa; y las otras dos, *Insula,* de Madrid, y *La Caña Gris,* de Valencia, incluyen, al par que evocaciones, estudios críticos.

La revista *Cántico,* de Córdoba, dedicó a Cernuda el número 9-10, en el año 1955 [1]. Es de notar el interés de este homenaje, que en su momento tuvo carácter programático, pues que proponer la figura de Cernuda como ejemplo cuando el movimiento literario imperante era el realismo social, y, cuando en todo el país se guardaba silencio sobre su persona y su obra, resultaba incluso arriesgado. Los poetas cordobeses, que tuvieron

---

[1] Revista de poesía *Cántico* (Córdoba, España), núms. 9 y 10, agosto-noviembre, 1955. (Homenaje a Luis Cernuda).
Colaboran:
Vicente Aleixandre: «Luis Cernuda deja Sevilla, pp. 7-8.
Manuel Altolaguirre: «A Luis Cernuda (homenaje en dos voces)». P. 9.
Enrique Azcoaga: «Entregas sobre Luis Cernuda», pp. 29-31.
Juan Bernier: «La antifantasía poética y Cernuda», pp. 42-43.
José Luis Cano: «Notas sobre el tema del amor a la poesía de Cernuda», pp. 17-21.
Pablo García Baena: «Divagación sobre la Andalucía de Luis Cernuda», pp. 43-45.
Ricardo Gullón: «La poesía de Luis Cernuda», pp. 21-28.
Leopoldo de Luis: «La soledad poblada», pp. 36-37.
Ricardo Molina: «La conciencia del tiempo, clave esencial de la poesía de Luis Cernuda», pp. 37-41.
José Antonio Muñoz Rojas: «Recuerdo de Luis Cernuda», p. 15.
Vicente Núñez: «Sobre tres temas cernudianos», pp. 33-36.
Adriano del Valle: «Oscura noticia de Luis Cernuda», pp. 11-13.

en *Cántico* su seña de identidad, hallaron en Cernuda un faro contra la noche. En este homenaje se destacan los trabajos de Juan Bernier: «La antifantasía poética y Cernuda»; de Pablo García Baena: «Divagación sobre la Andalucía de Luis Cernuda»; y de Ricardo Molina: «La conciencia del tiempo, clave esencial de la poesía de Luis Cernuda». Estudios de muy escasa extensión, pero de precisa intensidad.

La *Revista Mexicana de Literatura,* aparecida en México en 1964, ofreció al entonces recién fallecido poeta su primer número[2]. Todos los artículos tienen ese carácter de urgencia laudatoria propio de un homenaje póstumo. I. Fraire, E. Azcoaga, R. Xirau, S. Elizondo, M. D. Arana redactan semblanzas de conjunto, sin afán de análisis, dictadas por la amistad fraguada en el exilio compartido o en la frecuencia de la tertulia literaria.

Insula, que se había distinguido desde su creación, en la amistad hacia Cernuda, se vuelca también en monográfico homenaje[3]. Es asimismo en el año 1964 y

---

[2] *Revista Mexicana de Literatura,* números 1-2. México, 1964. (Homenaje a Cernuda).
Colaboran:
M. D. Arana: «Para un homenaje», pp. 62-64.
E. Azcoaga: «Primera carta imposible a Luis Cernuda», pp. 58-61.
Chany Lara F.: «La poesía como destino, pp. 30-42.
S. Elizondo: «Cernuda y la poesía inglesa», pp. 65-70.
I. Fraire: «Presencia de Luis Cernuda», pp. 53-57.
R. Xirau: «Cernuda vivo», pp. 43-45.

[3] *Insula,* núm. 207. Febrero, 1964. (Homenaje a Cernuda).
Colaboran:
A. Aparicio: «Soleares para un poeta», p. 20.
F. Brines: «En la muerte de Luis Cernuda», p. 9.
J. L. Cano: «Notica de una edición casi desconocida de L. Cernuda», p. 13.

aparecen en su índice textos documentales de evidente interés: la crónica hecha por Carlos P. Otero de la última etapa de la vida de Cernuda en California, y de las vicisitudes y alumbramiento de los poemas de la undécima y última parte de *La realidad y el deseo*, titulada: *Desolación de la quimera;* así como la publicación por el Dr. F. López Estrada, por vez primera, de un amplio epistolario cruzado entre el poeta y su amigo Higinio Capote, fundamental para conocer la etapa surrealista cernudiana. En tal estudio se incluye también la hoja de estudios de Cernuda en la Facultad sevillana de Derecho. Otros trabajos de interés están firmados por J. A. Valente, Robert K. Newman, Arcadio Díaz Quiñones y Julia Uceda.

En Valencia, y casi al mismo tiempo que en Córdoba, un grupo de jóvenes poetas prestan singular atención a la poesía de Luis Cernuda, bajo la sombra del cernudiano Juan Gil Arbert. Destaca en la devoción Jacobo Muñoz, editor de la revista *La Caña Gris,* que dedicará

J. Caro Romero: «Silencio para Luis Cernuda», p. 4.

A. Díaz Quiñones: «Elegía anticipada, glosa a un poema de Luis Cernuda», p. 15.

A. Duque: «En el suelo de Méjico», p. 6.

J. R. Jiménez: «Luis Cernuda», p. 1.

F. López Estrada: «Estudios y cartas de Cernuda», pp. 3 y 16-17.

M. Mantero: «Encuentro de Luis Cernuda con Verlaine y el demonio», p. 8.

C. Méndez: «Luis Cernuda», p. 13.

Robert. K. Newman: «El hombre visto a través de su poesía», p. 6.

V. Núñez: «Luis Cernuda en su palabra», p. 5.

C. P. Otero: «Cernuda en California», pp. 1 y 14.

O. Paz: «Luis Cernuda», p. 7.

G. Prieto: «Recuerdos de Luis Cernuda», p. 7.

J. Uceda: «La patria más profunda», p. 8.

J. A. Valente: «Luis Cernuda en su mito», p. 2.

el hasta el momento más serio homenaje al entonces exiliado sevillano. En sin duda la colección más rica de trabajos, sin que ello quiera decir que posean todos el mismo interés. Presentan novedad y rigor los de José Angel Valente, Derek Harris, José Olivio Jiménez, Francisco Brines, Jacobo Muñoz. A lo largo de este estudio habrá ocasión de exponerlos y valorar sus puntos de vista [4].

Artículos relevantes de revistas

La crítica en torno a la poesía cernudiana es, dentro de España, escasa hasta su muerte. Fuera van aparecien-

---

[4] *La Caña Gris*. Otoño, 1962. Valencia. Homenaje a Luis Cernuda.

Colaboran:

V. Aleixandre: «Luis Cernuda en la ciudad», pp. 11-12.

F. Brines: «Ante unas poesías completas», pp. 117-153.

J. M. Castellet: «Luis Cernuda», p. 28.

R. Chacel: «Luis Cernuda, un poeta», pp. 18-20.

V. Gaos: «Luis Cernuda», p. 17.

J. Gil-Albert: «Ficha conmemorativa», pp. 26-27.

J. Gil de Biedma: «El ejemplo de Luis Cernuda», pp. 112-116.

D. Harris: «Ejemplo de fidelidad poética: el superrealismo de Luis Cernuda», pp. 102-108.

J. Hierro: «Notas sobre la crítica en Cernuda», pp. 21-25.

J. O. Jiménez: «Emoción y trascendencia del tiempo en la poesía de Luis Cernuda», pp. 45-83.

J. Muñoz: «Poesía y pensamiento poético en Luis Cernuda», pp. 154-166.

R. K. Newman: «Primeras poesías», pp. 84-99.

C. Otero: «Variaciones de un tema cernudiano», pp. 39-44.

J. A. Valente: «Luis Cernuda y la poesía de la meditación», páginas 29-38.

M. Zambrano: «La poesía de Luis Cernuda», pp. 15-16.

C. P. O.: «Indígenas y extranjeros sobre Cernuda», pp. 109-111.

do artículos dispersos, las más de las veces encomiásticos, las más de las veces dictados por la ligereza antes que por el rigor. Si se compara con la obra crítica sobre cualquiera de sus compañeros de generación, incluidos los considerados, y tampoco se sabe por qué, como menores, tal Emilio Prados o Manuel Altolaguirre, hay una poderosa desventaja para Cernuda. De difícil trato personal, debelador de tópicos doquier aparezcan, con una obra voluntariamente despojada de brillantez, quedó al margen del lanzamiento mundial que su generación tuvo a raíz de la guerra civil. Es distinción suya que hay poetas que nacen con su público hecho, y otros que, como él, necesitan hacérselo, suscitando muy lentamente la admiración e interés por su obra.

Carlos P. Otero, en su artículo: «Indígenas y extranjeros sobre Cernuda»[5], se duele de la actitud que varios autores tanto españoles como foráneos adoptan al tratar la obra de Cernuda. Aprovechando Otero la salida al mercado de una *Nueva historia de la literatura española,* publicada por R. E. Chandler y K. Schwartz, denuncia una serie de errores que tales autores han tomado de fuentes asimismo desaprensivas. Hasta el desconocimiento del título de los libros. Así, en la referida Historia: *Donde habite el olvido* se convierte en «Donde habita el olvido»; *Ocnos* es citado como «Oknos, el alfarero». La fuente de estos errores es un artículo de P. Salinas en el *Columbia Dictionary of Modern European Literature*[6]. El *Panorama de la literatura españo-*

---

[5] Carlos Peregrín Otero: *Indígenas y extranjeros sobre Cernuda,* revista «La Caña Gris». Valencia, otoño, 1962, pp. 109-111.

[6] Pedro Salinas: *Luis Cernuda,* en «Columbia Dictionary of Modern European Literature, N. Y. Columbia UP., pp. 158-59.

la contemporánea, de Gonzalo Torrente Ballester [7], recoge los errores de Salinas y le agrega otros, tales como titular la obra poética de Cernuda «La soledad y el deseo», o liquidar de un plumazo tal *corpus* poético así: «no participamos en esa poesía, no nos importa». Sigue citando Carlos P. Otero otros ejemplos.

A pesar de ello van publicándose aquí y allá, como con timidez, como con miedo, artículos críticos sobre Cernuda. Los aparecidos antes de la guerra se limitan a la glosa periodística provocada por la aparición de un libro de poemas: *Perfil del aire,* o *La realidad y el deseo,* primera edición.

Después de la guerra civil, puede señalarse como fecha de partida el año 1950, en la elaboración de trabajos de alguna consideración sobre Cernuda.

Ricardo Gullón, en la revista de Puerto Rico *Asomante* [8] acomete el itinerario crítico, libro por libro, de *La realidad y el deseo.* Es el primer intento de análisis global. Fijándose en una nota peculiar, en algo relevante de cada una de las secciones o «libros», teje a base de notas impresionistas un somero entramado de las motivaciones y soluciones formales detectadas en la poesía cernudiana. La finura y el olfato del crítico no siempre alcanzan la diana y, a veces, un exceso de enumeración temática montada sobre cadenas de abstractos en peligrosa evasión sinonímica le lleva a designar motivos como, pongamos por caso «la soledad», «el amor», sin acometer la delimitación precisa de qué soledad o de qué amor en cada momento poético cernudiano, de cómo y a través de qué concreciones

---

[7] Gonzalo Torrente Ballester: *Panorama de la literatura española contemporánea.* Ed. Guadarrama. Madrid, 1956, pp. 360-361.

[8] Ricardo Gullón: *La poesía de Luis Cernuda.* Revista «Asomante», San Juan de Puerto Rico, VI, 2 (abril-junio), pp. 34-54, y 3 (julio-septiembre), pp. 49-71. Año 1950.

plásticas o de qué imágenes el poeta comunica su intransferible atmósfera. Tal modo de proceder deja en oscuridad muchas zonas de la poética del sevillano.

(Es en este mismo año de 1950 cuando se publican otros dos trabajos, pero no en revistas, sino dentro de libros sobre la generación del 25. Uno de ellos, de Manuel Durán[9], dedicado al surrealismo de la generación. En tres páginas se refiere a Cernuda. El otro es el libro de José Francisco Cirre: *Forma y espíritu de una lírica española*[10], dentro del que todo un capítulo, el séptimo, titulado «Trascendentalismo poético», es el que desglosa aspectos de la lírica cernudiana, desde el básico motivo de la soledad, del dolor de sí mismo emergiendo del recinto cerrado del yo y provocado por una espiritual agonía. Romántico en los temas y clásico en las maneras, la base está en esa soledad, en ese trascender su inaplazable mandato síquico los movimientos y las formas. Punto de vista el de Cirre limitado, pero certero en su limitación).

Desde 1950 los trabajos sobre Cernuda van siendo más numerosos y comienzan a aparecer también dentro de la Penísnula. Un pionero en la dedicación al poeta, a contracorriente de lo imperante, es José Luis Cano. En 1955 recoge en el libro: *De Machado a Bousoño*[11] diversos trabajos que habían visto la luz en revistas de ambos lados del Atlántico; temas tan sugestivos como «Bécquer y Cernuda», «Keats y Cernuda», «Sobre el lenguaje poético en Cernuda», «En busca de su paraíso»,

---

[9] Manuel Durán Gili: *El superrealismo en la poesía española contemporánea*. Universidad de Méjico, 1950, pp. 91-94.

[10] José Francisco Cirre: *Forma y espíritu de una lírica española* (1920-1935). Gráfica panamericana. México, pp. 124-134.

[11] José Luis Cano: *De Machado a Bousoño*; *notas sobre* poesía española contemporánea. Madrid, «Insula», 1955, pp. 121-163.

«El demonio cernudiano». La sutileza crítica de José Luis Cano desvela con intuición pormenorizada aspectos y matices antes imprevistos.

En 1957 Luis Felipe Vivanco publica su *Introducción a la poesía española contemporánea* [12]. Titula la sección sobre Cernuda: «Luis Cernuda en su palabra vegetal indolente.» La desarrolla en tres fases: el abandono en imágenes, el distanciamiento en figuras, la gloria del poeta. Desglosa los diferentes estadios de la dicción cernudiana desde esos tres ángulos: abandono, distanciamiento, y gloria. Su estudio es sugerente, aunque adolece, al igual que el de Gullón, de fe exagerada en la intuición espontánea. En su favor, no obstante, hay que puntualizar que su intuición está respaldada por una visión de conjunto de la poesía contemporánea, una concepción totalizadora del fenómeno.

Carlos P. Otero presenta en la universidad de California en 1959 la primera tesis doctoral sobre Cernuda. Se titula *La poesía de Luis Cernuda (temas, poemas, lenguaje)* [13]. Permanece inédita y sólo la sección de bibliografía, muy elaborada, apareció en el número homenaje de la revista *La Caña Gris*. Ciento noventa y seis referencias bibliográficas, cronológicamente ordenadas que constituyen un material inicial nada despreciable.

En el año 1960, el mismo Carlos P. Otero comenta en un largo trabajo la tercera salida de *La realidad y el deseo*, en la revista *Papeles de Son Armadans* [14]. Co-

---

[12] Luis Felipe Vivanco: «Luis Cernuda, en su palabra vegetal indolente», en el libro *Introducción a la poesía española contemporánea*. Guadarrama, Madrid, pp. 293-338.

[13] Carlos Peregrín Otero: *La poesía de Luis Cernuda: temas, poemas, lenguaje*. Universidad de California, Berkeley. Tesis doctoral inédita.

[14] Carlos Peregrín Otero: *La tercera salida de La realidad y el deseo, revista* «Papeles de Son Armadans», XVII, pp. 425-471. Palma de Mallorca, 1960.

mentario puntillista, con especial mención a las cuatro nuevas secciones o «libros» incorporados en el volumen. Acarreo oportuno de citas colaterales, rastreo y hábil disección de los temas centrales de el Cernuda de la madurez, indisimulada devoción, pasan estas páginas a fomentar el movimiento en favor del poeta.

Como amigo predilecto y poeta paralelo, el mejicano Octavio Paz aplica varias veces su insólita perspicacia, su sagacidad de lector y creador cosmopolita, a la obra de Cernuda. Es sin género de dudas su ensayo: «La palabra edificante», publicado inicialmente en *Papeles de Son Armadans,* y recogido después en su libro *Cuadrivio* [15], el discurso más penetrante de cuantos han intentado radiografiar la poesía cernudiana. Rehuyendo desmenuzar los textos, fiado tan sólo de su frecuentar diario tales poemas —fiado asimismo, es claro, de su vasta cultura crítica—, extrae el haz de temas más sustantivos, que, de lo único que adolecen es de espíritus con similar sensibilidad a la suya que los desarrollen. Señalando las veredas por donde han penetrado las influencias de cada período —sin evidenciarlas—, discutiendo el debatido problema del «prosaísmo», a partir de Wordsworth, centrándose más tarde en el amor como tema central de Cernuda, exponiendo sin ambages las características, por un lado uranistas y por otro desesperadas de ese amor —ahondando, que no recreándose—, describiendo el último Cernuda desde las proyecciones de sí, las *personae,* y sus finales acentos sobre el país natal, Octavio Paz traza un cuadro, si no completo, esencial de *La realidad y el deseo.*

(Como capítulos de libros dedicados a la generación del 25, han aparecido varias obras. En todas se trata a

---

[15] Octavio Paz: *La palabra edificante,* «Papeles de Son Armadans», Palma de Mallorca, CIII, octubre, 1964, pp. 41-82. Ensayo recogido en el libro del mismo autor *Cuadrivio.* Editorial Joaquín Mortiz, Méjico, 1965, pp. 165-202.

Cernuda en secciones finales, marginadas, y se repiten
con frecuencia tópicos desgastados sobre su obra. Citemos, sin enjuiciarlos, pues que en el cuerpo del trabajo se hará referencia constante, los libros de Joaquín
González Muela [16], Andrew P. Debicki [17], Emilia de
Zuleta [18], Gastón Baquero [19], y el recientemente aparecido de G. Seibenmann [20].)

Libros dedicados a Cernuda

1) Antologías

En 1962 aparece la primera de las antologías de la
poesía de Cernuda, cuando todavía el poeta no ha
muerto. Fue realizada y llevada a feliz término por el
crítico italiano Francesco Tentori, para la prestigiosa
colección milanesa *Poeti europei,* de Lerici Editori [21].
Hace el número diez de la colección y lleva, además de
los poemas de Cernuda en castellano e italiano, una introducción acertada de Tentori. Fue hecha bajo el con-

[16] Joaquín González Mulea: *El lenguaje poético de la generación Guillén-Lorca.* Editorial Insula. Madrid, 1955.

[17] Andrew P. Debicki: *Estudios sobre poesía española contemporánea.* Biblioteca Románica Gredos. Madrid, 1968, pp.
285-306.

[18] Emilia de Zuleta: *Cinco poetas españoles.* Biblioteca Románica Gredos. Madrid, 1971, pp. 396-458.

[19] Gastón Baquero: *Darío, Cernuda y otros temas poéticos.*
Editora Nacional. Madrid, 1969, pp. 149-191.

[20] G. Seibenman: *Los estilos poéticos en España desde
1900.* Biblioteca Románica de Gredos. Madrid, 1973.

[21] *Poesie,* di Luis Cernuda, Collection «Poeti europei», Lerici editori, Milano. Traduzione, introduzione, bio-bibliografia
a cura di Francesco Tentori Montalto. 1962.

sejo y asistencia del propio poeta. La edición es muy bella; está cuidada al máximo.

A partir de ella se han sucedido otras en los demás países europeos, aunque no todas con idéntica pulcritud. El propio F. Tentori ha publicado otra más popular en Milán [22].

Muy digna de ser nombrada a continuación es la que, editada por Anthony Edkins y Derek Harris, colaborando con ellos en las traducciones Jack Sage y Edward Wilson —todos conocidos hispanistas en el ámbito cultural anglosajón, y devotos cernudianos—, ha aparecido en 1971 en la New York University Press [23]. La selección de los poemas y las versiones son esmeradas.

En lengua francesa se han publicado dos colecciones de poemas de Cernuda: una de ellas publicada en la editorial Gallimard [24], fue seleccionada por Juan Goytisolo. Las traducciones son de los hispanistas Robert Marrast y Aline Schulman. La otra, publicada en 1972 en la colección *Poetes d'aujourd-hui,* de Seghers, lleva un largo estudio preliminar de Jacques Ancet, agudo estudioso y fino poeta, profesor actualmente en Annecy. Entre ambas colecciones se completan y cubren el vacío que existía en Francia, país donde Cernuda encontró maneras de poetizar que le ayudaron a explicarse a sí mismo [25].

---

[22] Luis Cernuda: *La realtá e il desiderio,* a cura di Francesco Tentori Montalto. Accademia-Sansoni Editori. Milano, 1971

[23] *The poetry of Luis Cernuda,* editada por Anthony Edkins y Derek Harris. Traducciones de Anthony Edkins, Derek Harris, Jack Sage y Edward Wilson. New York University Press. N. Y., 1971.

[24] *La Réalité et le Désir.* Poemas traducidos por Robert Marrast y Aline Schulman, seleccionados y prologados por Juan Goytisolo. Colección «Poésie du monde entier». Gallimard. París, 1969.

[25] *Luis Cernuda,* por Jacques Ancet. Estudio, textos y cro-

En nuestro país, la editorial Plaza y Janés, en su colección «Selecciones de poesía española», publicó en 1970 una antología poética [26], prologada y preparada por Rafael Santos Torroella. El prólogo tiene carácter eminentemente biográfico. La selección está ordenada por libros, incluyendo al final poemas en prosa de *Ocnos* y de *Variaciones sobre tema mexicano*.

2) Estudios

Deliberadamente hemos dejado para el final de este recuento crítico los libros que se han dedicado en su integridad a estudiar parte o toda la poesía cernudiana. A diez años de la muerte del poeta, cinco son tan sólo los volúmenes publicados, evidenciando la lentitud en hacerse un público de que el poeta hablara. (Bien es verdad que no puede decirse lo mismo en lo que toca a la influencia de Cernuda en los poetas: la mayoría de los jóvenes lo proclaman hermano mayor y declaran su magisterio.) Los cinco libros son trabajos universitarios.

Cronológicamente, el primero es *Die Dichtung Luis Cernudas,* de Elisabeth Müller [27], publicado en 1962 en Köln. Esta tesis doctoral está dirigida por el profesor Dr. Schalk, y presentada en el *Romanischen Seminar,* de la universidad de Köln. Se divide en dos partes: la primera de ellas estudia la imagen del mundo (Weltbild)

nología bibliográfica. Colección «Poetes d'aujourd'hui». Editorial Seghers, 1972.

[26] *Luis Cernuda,* Antología Poética. Selecciones de Poesía Española. Introducción y selección de Rafael Santos Torroella. Editorial Plaza y Janés. Barcelona, 1970.

[27] Elisabeth Müller: *Die Dichtung Luis Cernudas.* Kölner Romanistische Arbeiten. Librairie E. Droz. Genève, 1962.

de Cernuda, la segunda se refiere al desarrollo formal de *La realidad y el deseo.*

En la primera parte, temporalidad, amor, soledad, unidad reencontrada son los capítulos básicos.

En el primero aborda la temporalidad como tema central de la obra poética de Cernuda. En una fase inicial la considera como rotura entre dos modos de existencia (Desein), presentando la niñez como estado ideal del existir para el poeta. En una segunda fase analiza el «olvido» cernudiano como desreferencialidad del hombre y las cosas y como aislamiento entre los hombres, es decir, como rotura. Y en la tercera fase de este capítulo espía la autora el crecimiento, en Cernuda, de una conciencia objetiva de la temporalidad. Esta objetivación se produce a distintos niveles: en la emoción de la naturaleza, en los temas históricos, utilizando historia y leyenda como elemento distanciador, proponiendo como término histórico vidas ejemplares, en su posición ante el país natal.

En el capítulo de la soledad comienza su análisis E. Müller buscando las fuentes románticas. Soledad como cierre en sí mismo, sobre la base del poema «Soliloquio del farero», del libro *Invocaciones.* Desde otro aspecto, enfoca E. Müller la soledad como consecuencia del desorden poético. Analiza la desconexión entre el poeta y su público dentro de la referencia al lector de la nueva poesía hispánica.

El tema de la unidad reencontrada como salida al problema del tiempo lo traza la autora a partir de lo que ella califica como «el niño desheredado», continuando por los derroteros de la *vaporisation et centralisation du Moi* bodeleriano. Ve en Cernuda el sueño como camino hacia la unidad, la salvación de la naturaleza inconsciente. Desvelando el significado de la belleza como instante temporal, concluye E. Müller que tal unidad reencontrada no está más que en el éxtasis.

En esta primera parte la doctora alemana demuestra un conocimiento y penetración infrecuentes en la obra de Cernuda. La temática fundamental está expuesta con orden y matizaciones. En el capítulo sobre el amor, refunde los temas anteriores con sabiduría y los proyecta sobre los conflictos amorosos, sus vertientes entre desesperación y deseo.

Tan sólo, a nuestro parecer, ofrece el peligro de una referencia excesivamente explícita a una determinada manera filosófica, calificable como fenomenológico-existencial. Con demasiada frecuencia vemos que construye su red conceptuosa apelando a ejes del pensamiento antedicho, violentando en algo el poema, que en muchos casos es más atmósfera connotativa que frase expositiva, aunque tal frase sea del poema. Desvío que, todo sea dicho, es de tal sutileza que apenas queda ranura entre verdad extraída del poema y verdad invocada para el poema.

En la segunda parte, como complemento de la exposición ideológica, divide en cuatro capítulos el desarrollo formal de *La realidad y el deseo,* referidos a los cuatro momentos hasta entonces visibles en la poesía del sevillano: la primera poesía (1924-28), el surrealismo (1929-31), el período de transición (1932-33), y el tiempo de la madurez poética (1937-56).

En esta segunda parte corrige E. Müller la referencia ideológica de la primera, datando y documentando pormenorizadamente algunos de los motivos, influjos y fuentes cernudianas. Un leve peligro de que la pormenorización se pierda en la casuística y no alcance a constituir en su totalidad un sistema interpretativo, está amenazando este estudio formal.

Ante trabajo tan concienzudo no podemos sino admirarlo e imaginar qué espléndida síntesis hubiera culminado si, en lugar de ser planteado con dicotomía temas-formas, hubiera ido la autora extrayendo al unísono los primeros de las segundas, y viendo cómo se modulaban en las segundas los primeros. A pesar de estos leves reparos es el mejor hasta el momento de los estudios globales de Cernuda.

El segundo de los tratados de conjunto es de Philip Silver, publicado en Londres y traducido recientemente en España. Se titula en la edición inglesa: *Et in Arcadia ego: a study of the poetry of Luis Cernuda*[28]; y en la traducción española: *Luis Cernuda, el poeta en su leyenda*[29].

Tesis doctoral también, dividida en siete capítulos, es un estudio de evolución temática. A partir de un tema unificante, que Silver encuentra en la «sed de eternidad», evoca el paraíso o infancia como presente eterno (los atributos del Edén, la caída, la nostalgia de la conciencia paradisíaca, el edén reconquistado); seguidamente habla de los cambios del amor como espejo de la eternidad (la búsqueda del amado, la confrontación, la definición del amor, la imagen en remanso); describe después la naturaleza del edén y el edén de la naturaleza (el ideal de *vita mínima,* el perdido edén de la naturaleza, el amor, la naturaleza y Méjico); habla más tarde de los enemigos del caos o artífices de la eternidad (el artista-héroe, el contexto de la sociedad, el poeta y su arte); para finalizar su recorrido en España-Sansueña, historia y eternidad (el exilado del edén, la gloria que fue España, Sansueña y el puerto de la fe).

El libro de Silver que, si tomado con cautela, es una valiosa adición al limitado *corpus* crítico sobre Cernu-

---

[28] P. Silver: *Et in Arcadia ego: a study of the poetry of Luis Cernuda.* Tamesis Books Limited. Londres, 1965.

[29] Philip Silver: *Luis Cernuda, el poeta en su leyenda.* Estudios de literatura contemporánea. Editorial Alfaguara. Madrid, 1972.

da, incurre con frecuencia en facilidades y hasta errores. En su afán de identificación de temas y mitos, crea una nebulosa al interpretar los textos, poco ceñida a la concreta evolución del poeta.

Es quizá el primer fallo la demasiado poca atención concedida al conflicto entre experiencia y poeta. Así, el señalar como tema unificante la «sed de eternidad», de manera apriorística, sin depurar el exacto contexto cernudiano, coloca a todo el estudio en una perspectiva algo desviada. Esa expresión «sed de eternidad», comporta en la poesía española del siglo veinte connotaciones o unamunianas, o de conflicto religioso cristiano, lo que no es el caso evidentemente en Cernuda. Si en vez de «sed de eternidad», Silver hablara de «deseo como pervivencia», habría afinado posiblemente más el punto de mira. Cernuda no es un poeta místico, sino un poeta ejemplar, un moralista, y su obra una prolongada contemplación de la existencia humana.

En cuanto a la pérdida del Edén, no hay tal pérdida, sino ausencia. Y ese lamento prolongado se refiere a un edén cernudiano, a una construcción intelectual basada en la mitología griega reconstruida por Höolderlin. Al evocar esos mitos, el poeta se duele de que el mundo luminoso que encarnaban no subsista en la hora presente. El trazado del circuito Edén = Infancia; Caída = Exilio; Reencuentro = México, está trazado violentando el sentido. Es excesiva la continua identificación de tiempo y espacio, que se da en esa ecuación que iguala indisolublemente a la niñez con la atmósfera de Andalucía. Asimismo, la vuelta a la inocencia que se hace urgente al caído, no está condicionada en exclusiva en Cernuda por una naturaleza particular: la Sevilla natal o la Málaga mitificada. Y en cuanto a considerar México como punto decisivamente final en ese reencuentro del edén, parece dictado a Silver por las *Variaciones sobre tema mexicano*, olvidando el sustancial cansancio cernudiano, su fatal desarraigo. Las últimas cartas a Carlos P. Otero lo prueban, o el poema «Peregrino», de *Desolación de la quimera*.

Es preciso así corregir el énfasis que pone Silver en destacar el interés de Cernuda por el período más heroico de nuestra historia (siglo XVI). Cernuda no elige un período, sino un personaje: Felipe II. Y lo elige como vehículo objetivador para sus reflexiones sobre el poder, la soledad, el destierro. No para otra cosa.

La interpretación de Silver en su examen particular de algunos poemas es también cuestionable; sobre todo los de la época surrealista: *Un río, un amor*, y *Los placeres prohibidos*. Como el propio Cernuda ha explicado, el poema «Sombras blancas» no es evocación de Málaga (ni Sansueña se identifica con esa ciudad). El poema está sugerido por una película: *White Shadows in the South Seas*, referida a Tahití, y está asociado a los poemas sobre América. Que en el poema «La canción del Oeste» haya, según Silver, elementos del *western americano*, también es más que dudoso.

Silver, en la página 25 de su trabajo, copia unas frases de Salinas sobre Cernuda, calificándolas de «deliciosa viñeta». Que a Cernuda no le pareció nunca tan deliciosa lo muestra el poema del final de su vida: «Malentendú».

Resaltemos, a pesar de estos reparos, los temas que Silver muestra con acierto en la poesía cernudiana: el rechazo de las instituciones mecánicamente aceptadas por la mentalidad burguesa de la época, la naturaleza solipsística de la visión del mundo del poeta, el entusiasmo de Cernuda por las demás artes, el ejercicio de la poesía como vocación irrenunciable, como única posibilidad de realización de su existencia, la búsqueda por la poesía de algo más profundo y sustancial: la imagen íntima de su ser verdadero, la conciencia de la necesidad de objetivación de lo biográfico.

Como estudios parciales, han aparecido dos libros referidos a la primera época de Cernuda, y uno a la poesía última.

De los dos trabajos dedicados a la etapa primera, o sevillana, del poeta, uno de ellos es el de José María Capote Benot, publicado en 1971 [30].

Capote, hijo de un amigo de Cernuda, antes nombrado, divide en dos partes su análisis: en la primera, describe biográficamente la trayectoria de Cernuda —sus primeros años, juventud, vida universitaria, encuentro con Juan Ramón Jiménez, primeras publicaciones— hasta dejar Sevilla; en la segunda acomete el estudio de *Perfil del aire*. Lo hace desempolvando su obra anterior, analizando el libro temática y formalmente. Por fin acomete el punto de vista del contorno del libro respecto al contorno poético. Un estudio de variantes con referencia a «Primeras poesías», un análisis de la crítica del momento sobre *Perfil del aire,* y al final un apéndice documental en el que destaca por su interés la relación de los libros de la biblioteca juvenil de Cernuda.

El libro, tesis de licenciatura en principio de su autor, es una aportación valiosa a la literatura crítica sobre el poeta, ensombrecida por la aparición, en el mismo año, del estudio de Derek Harris, mucho más meticuloso y matizado. No obstante, el estudio de variantes y el apéndice documental han aportado nuevos materiales de trabajo.

Derek Harris ha publicado en Londres su trabajo: «*Perfil del aire,* con otras obras olvidadas e inéditas, documentos y epistolario» [31].

<hr>

[30] José María Capote Benot: *El período sevillano de Luis Cernuda.* Biblioteca Románica Gredos. Madrid, 1971.

[31] Luis Cernuda: *Perfil del aire.* Con otras obras olvidadas e inéditas, documentos y epistolario. Edición y estudio de Derek Harris. Tamesis Books Limited. Londres, 1971. Su segundo libro: *Luis Cernuda, A Study of the Poetry,* Londres. Tamesis

Este exquisito análisis, que el autor llevaba elaborando desde hace tiempo, después de haber dedicado también su tesis doctoral, inédita, al poeta de Sevilla, supera en cuidado a cuantos hasta al momento hacen referencia al tema que nos ocupa. Su larga introducción está llena de perspicacia crítica aliada a una pulcritud de erudición realmente envidiables.

Divide el trabajo en los siguientes apartados: poesía pura o pura poesía, el ambiente literario de los años de la juventud de Cernuda, una juventud sevillana, la formación del poeta, *Perfil del aire*, «*Perfil del aire* y los críticos», «*Perfil del aire* y la cuestión de las influencias», *Perfil del aire* y *Primeras poesías*, poesía y prosas sueltas. A este estudio sigue la reproducción del libro *Perfil del aire* y de otras obras primerizas de Cernuda, incluyendo poemas inéditos. Después de estos textos se añaden las principales reseñas de *Perfil del aire*, junto con otros documentos, y se reproducen varias cartas entre Cernuda y Jorge Guillén.

Estudio, en fin, definitivo de este período cernudiano.

De la época última de Cernuda se ha publicado en la Universidad de Chapel Hill (USA), el trabajo de Alexander Coleman *Other voices: a study of the late poetry of Luis Cernuda* [32]. Siguiendo el método de P. Silver —desarrollo temático—, adolece de los defectos de aquél, aunque el análisis es en aspectos más ajustado.

Así, no está hecho el estudio de los eslabones entre el narcisismo de la primera época de Cernuda y su «yo dividido», investigación necesaria para una visión objetiva de su experiencia. No averigua las implicaciones de este argumento.

Book, 1973, no hemos podido consultarlo, pero con seguridad será de muy neta precisión.

[32] Alexander Coleman: *Other voices: a study of the late poetry of Luis Cernuda.* University of North Carolina. Chapel Hill. Un. Press, 1969.

En cuanto a puntos de detalle adolece de interpretaciones desviadas. El rey Baltasar, en el poema «La Adoración de los Magos», es más un cínico que un estoico humanista (p. 99). «De qué país», es un poema que se refiere a un recién nacido, no al propio poeta (página 144). No hay justificación para decir que el libro *Donde habite el olvido* es una descripción de un estado de ensoñación surrealista. El demonio de «La gloria del poeta», cuya incertidumbre de carácter declara Coleman, podría haberlo visto desde el demonio de William Blake, que es desde donde Cernuda lo ve (p. 154). El poeta de «El poeta», es Juan Ramón Jiménez, no Bécquer. «Viendo volver» no es una referencia a la imagen de un compañero o amigo futuro (p. 180).

BIBLIOGRAFIA

OBRAS DE CERNUDA

A. POESIA *

1. *Libros de poemas, antologías y traducicones*

Perfil del aire, IV Suplemento de «Litoral», Málaga, 1927.
La invitación a la poesía. Madrid. Ediciones «La Tentativa Poética», 1933.
Donde habite el olvido. Madrid. Ed. Signo, 1934.
El joven marino. Madrid. Ed. Héroe, 1936.
La Realidad y el Deseo. Madrid, Ed. Cruz y Raya, 1936; 2.ª ed., México, Ed. Séneca, 1940.
Las nubes, Buenos Aires. Col. «Rama de Oro», 1943.

---

* Para la obra poética de Cernuda —libros de poemas, antologías, poemas en publicaciones periódicas, traducciones de sus poemas y traducciones de otros poetas hechas por él— es fundamental la bibliografía elaborada por D. Harris y L. Maristany en el trabajo ya citado. Remitimos a él y, sólo como guía indicadora, damos aquí somera noticia de libros, antologías y traducciones. Tampoco pretendemos elaborar con exhustividad una bibliografía de escritos sobre Cernuda, sino agrupar lo que, a nuestro juicio, puede resultar más interesante para el aficionado.

17

Como quien espera el alba. Buenos Aires, Ed. Losada, 1947.

Poemas para un cuerpo. Edición no venal, Málaga, Col. «A quien conmigo va», 1957.

La realidad y el deseo, México, 3.ª ed., F. C. E., 1958; 4.ª ed., F. C. E., 1964.

Díptico español (1960-1961), Bogotá, Ediciones Eco, 1961.

Desolación de la quimera, México, Ed. Joaquín Mortiz, 1962.

Perfil del aire: con otras obras olvidadas e inéditas. Edición y estudio de Derek Harris, Londres, Tamesis Books Limited, 1971.

La realidad y el deseo, La Habana, Consejo Nacional de Cultura, 1965.

Antología poética. Introducción y selección de Rafael Santos Torroella, Barcelona, Ed. Plaza y Janés, 1970.

Luis Cernuda, Poesía completa. Edición de Derek Harris y Luis Maristany, Barcelona, 1974.

Poesie, Traduzione, introduzione, bio-bibliografía a cura di Francesco Tentori Montalvo, Milano, Lerici editori, 1962.

La réalité et le désir. Traducción de R. Marrast y Aline Schulman, edición de Juan Goytisolo, París, Gallimard, 1969.

The Poetry of Luis Cernuda. Edited by Anthony Edkins and Derek Harris, Nueva York, N. Y. University Press, 1971.

Luis Cernuda. La realtà e il desiderio. Ed. de Francesco Tentori, Milano, Academia Sansoni Editori, 1971.

Luis Cernuda. Estudio y traducciones de Jacques Ancet, París, Colección «Poétes d'aujourd'hui», Editions Pierre Seghers, 1972.

B. PROSA

1. *Libros de poemas en prosa.*

Ocnos, Londres, Ed. Dolphin Books, 1942.

Ocnos. Madrid, 2.ª ed. aumentada, Insula, 1949.

Ocnos. Méjico, 3.ª ed. aumentada, Univ. Veracruzana, 1963.

Variaciones sobre tema mexicano. México, Col. «México y lo mexicano», 1952.

2. *Libros de narraciones.*

Tres narraciones. Buenos Aires, Iman, 1948.

3. *Poemas en prosa en publicaciones periódicas.*

«El indolente», *La Verdad* (Murcia), 56, 18 de julio de 1926.
Anotaciones», *La Verdad* (Murcia), 59, 10 de octubre de 1926.
«Presencia de la tierra», *Mediodía* (Sevilla), núm. V, 1926, p. 6.
«Trozos», *Verso y Prosa* (Murcia), año I, núm. 3, marzo 1927,
página 3.
«De un Diario», *Mediodía* (Sevilla), núm. 8, 1927.
«Huésped eterno», *Meseta* (Valladolid), núm. 2, febrero 1928,
página 4.
«Escritos en prosa», *La Revista de Guatemala*, 4, abril-junio
1946.
«Variaciones en torno a un tema mexicano», *Insula* (Madrid,
62, febrero 1951.

4. *Libros de crítica literaria y prosas literarias.*

Estudios sobre poesía española contemporánea. Madrid-Bogotá,
Ed. Guadarrama, 1957.
Pensamiento poético en la lírica inglesa (siglo XIX). México,
Imprenta Universitaria, 1958.
Poesía y literatura. Barcelona, Seix y Barral, 1960.
Poesía y literatura. II. Barcelona, Seix y Barral, 1964.
Crítica, ensayos y evocaciones. Edición de Luis Maristany, Bar-
celona, Seix y Barral, 1970.

5. *Artículos de crítica litreraria y prosas literarias en publicaciones periódicas.*

«Paul Eluard», *Litoral* (Málaga), 9, junio 1929
«Pedro Salinas y su poesía», *Revista de Occidente* (Madrid),
XXV, julio-septiembre de 1929, pp. 251-254.
«Jacques Vaché», *Revista de Occidente* (Madrid), LXXVI, oc-
tubre-diciembre 1929, pp. 142-144.
«José Moreno Villa o los andaluces en España», *El Sol* (Ma-
drid), 18-1-1931.
«Epistolario de Rimbaud», *Heraldo de Madrid* (Madrid), 15-10-
1931.
«Líneas con ocasión de un poeta Málaga-París», *Heraldo de
Madrid* (Madrid), 10-9-1931.
«Poesía y verdad: Carta a Lafcadio Wluiki», *Heraldo de Ma-
drid* (Madrid), 24-9-1931.
«La escuela de adolescentes», *Heraldo de Madrid* (Madrid),
5-11-1931.

«Notas elucidadas, F. García Lorca», *Heraldo de Madrid* (Madrid), 26-11-31.

«Dos poetas», *Heraldo de Madrid* (Madrid), 24-12-31.

«El espíritu lírico», *El Sol* (Madrid), 21-1-32.

«El Empresario de realidades (Gómez de la Serna)» *Heraldo de Madrid* (Madrid), 11-2-32.

«Unidad y diversidad» *Los Cuatro Vientos* (Madrid), febrero, 1933.

«Los que se incorporan», *Octubre* (Madrid), octubre-noviembre, 1933.

«Bécquer y el romanticismo español» *Cruz y Raya* (Madrid), 26 de mayo de 1935, pp. 47-73.

«Hölderlin»: Traducción de Luis Cernuda y Hans Gebser; nota de Luis Cernuda. *Cruz y Raya* (Madrid), noviembre de 1935. 32, pp. 115-117.

«Sonetos clásicos sevillanos», *Cruz y Raya* (Madrid), marzo, 1936.

«Divagación sobre la Andalucía romántica», *Cruz y Raya* (Madrid), 37. Abril, 1936, pp. 7-44.

«Unas palabras sobre la poesía española actual», *Escuelas de España* (Madrid), 29. Mayo de 1936.

«Homenaje», *Ahora* (Madrid), 18-1-1937.

«Líneas sobre los poetas y para los poetas en los días actuales» *Hora de España* (Valencia), junio, 1937, pp. 64-66.

«Poetas en la España leal, *Hora de España* (Valencia), julio, 1937, pp. 73-75.

«Federico García Lorca: Romancero gitano», *Hora de España* (Valencia), septiembre, 1937.

«En la cota de Santiniebla», *Hora de España* (Valencia), octubre, 1937, pp. 41-61.

«Sombras en el salón», *Hora de España* (Barcelona), XIV, febrero, 1938, pp. 39-66.

«Federico García Lorca (Recuerdo)», *Hora de España* (Barcelona), XVIII, junio, 1938, pp. 13-20.

«Antonio Machado y la actual generación de poetas», *Bulletin of Spanish Studies* (Liverpool), 67, vol. VII, julio, 1940, páginas 139-143.

«Poesía popular», *Bulletin of Spanish Studies* (Liverpool), 72, vol. XVIII, octubre, 1941, pp. 161-173.

«Juan Ramón Jiménez», *Bulletin of Spanish Studies* (Liverpool), 76, vol. XIX, octubre, 1942, pp. 163-178.

«Cervantes», *Bulletin of Spanish Studies* (Liverpool), 80, vol. XX. octubre, 1943, pp. 175-195.

«Julio Herrera y Reissig», *Cultura* (Montevideo), 1945.

«Gregorio Prieto» en *Gregorio Prieto, Paintings and Drawings,* Londres, Falcon Press, 1947.

«Tres poetas metafísicos», *Bulletin of Spanish Studies* (Liverpool), 98, abril, 1948, pp. 109 al final.

«Carta abierta a Dámaso Alonso», *Insula* (Madrid), 35, noviembre, 1948.

«Tres poetas metafísicos», *Insula* (Madrid), 36, diciembre, 1948.

«Vicente Aleixandre», *Orígenes* (La Habana), año VII, núm. 26, 1950, pp. 9-15

«André Gide», *Asomante* (San Juan de Puerto Rico), año VII, 1951.

«El crítico, el amigo y el poeta, diálogo ejemplar», *Orígenes* (La Habana), 1954, pp. 18-30.

«Reflejo de México en la obra de José Moreno Villa» *Universidad de México* (México),, IX, núms. 10 y 11, abril, 1955.

«Poesía española (prólogo a un libro)», *Universidad de México* (México), IX, junio-julio, 1955.

«Vicente Aleixandre», *Novedades* (México), 30-10-1955.

«Moreno Villa», *Caracola* (Málaga), 48, octubre, 1956.

«Manuel Altolaguirre», *México en la Cultura* (México), 12-12-1956 (La Habana), 1954, pp. 18-30.

«Coleridge», *Ciclón* (La Habana), 1, 1957.

«Prólogo a un libro», *Insula* (Madrid), 127, junio, 1957.

«G. M. Hopkins», *Universidad de México* (México), IX, 10, 1957.

«El modernismo y la generación de 1898», *Caracola* (Málaga), 62-63, diciembre, 1957-enero, 1958.

«Alfred Tennyson», *Papeles de Son Armadans* (Palma de Mallorca), año III, XXVII, junio, 1958, pp. 253-278.

«Los dos Juan Ramón Jiménez, el Doctor Jekyll y Míster Hyde», *México en la Cultura* (México), 482, 9-6-1958.

«Adolfo Salazar», *Universidad de México* (México), XIII, octubre, 1958.

«Historial de un libro», *Papeles de Son Armadans* (Palma de Mallorca), año IV, núm. XXV, febrero de 1959, pp. 121-172.

«Con Luis Cernuda en su exilio de México» *Indice* (Madrid), 124-125, abril-mayo, 1959.

«Las cartas de Rilke y la princesa Marie Thurn und Taxis», *La Gaceta* (México), 62, octubre, 1959.

«Charles Baudelaire en el centenario de 'Las flores del mal'», *La Gaceta* (México), año V, 62, octubre, 1959.

«Bécquer y el poema en prosa español», *Papeles de Son Armadans* (Palma de Mallorca), año V, núm. XLVIII, mayo, 1960, páginas 233-245.

«Experimento en Rubén Darío», *Papeles de Son Armadans* (Palma de Mallorca), noviembre de 1960, pp. 123-137.

«Las letras y su rubor», *Papeles de Son Armadans* (Palma de Mallorca), año V, núm. LVII, diciembre de 1960, p. 69.

ESTUDIOS SOBRE CERNUDA

A. LIBROS DEDICADOS A SU OBRA

1. *Libros publicados*

MÜLLER, ELISABETH: *Die Dichtung Luis Cernudas.* Ginebra. Librairie E. Droz. 1962. 198 pp.

SILVER, PHILIP: *Et in Arcadia Ego: a study of the poetry of Luis Cernuda.* Londres. Támesis Books Ltd, 1965, 211 pp.

SILVER, PHILIP: *Luis Cernuda, el poeta en su leyenda.* Madrid. Editorial Alfaguara, 1972, 262 pp.

CAPOTE, JOSÉ MARÍA: *El período sevillano de Luis Cernuda.* Madrid. Biblioteca Románica Gredos. 1971, 171 pp.

COLEMAN, ALEXANDER: *Other voices: a study of the late poetry of Luis Cernuda.* North Carolina. Chapel Hill University Press. 185 pp.

2. *Libros inéditos*

HARRIS, DEREK: *The poetry of Luis Cernuda.* (Tesis doctoral presentada en Cambridge (Inglaterra) y dirigida por E. M. Wilson).

MELVIN, D.: *The poetry of Luis Cernuda.* (Tesis doctoral presentada en la Universidad de Wisconsin).

NEWMAN, ROBERT K.: *Luis Cernuda's Poetry and Style.* (Tesis doctoral presentada en la Universidad de Indiana. Ponente: M. M. Harlan).

OTERO, CARLOS PEREGRÍN: *La poesía de Luis Cernuda: temas, poemas, lenguaje.* (Tesis doctoral presentada en California).

ROBIN, WARNER, J.: *The Poetry of Luis Cernuda.* (Tesis presentada en la Universidad de Leeds. Ponente: Reginald Brown).

ANCET, JACQUES: *Les images et les mythes dans la poésie de Luis Cernuda.* (Tesis presentada en la facultad de Letras de Lyon).

TALENS, JENARO: *Introducción a la lectura de Luis Cernuda.* (Tesis doctoral presentada en la universidad de Valencia).

DELGADO, AGUSTÍN: *La poética de Luis Cernuda.* (Tesis doctoral presentada en la Universidad de Valladolid, 518 pp., junio, 1973).

VILANOVA, MANUEL: Tesis doctoral presentada en la Universidad de Madrid.

B. NUMEROS MONOGRAFICOS DE REVISTAS

Cántico (Córdoba). Números 9-10. Agosto-noviembre, 1955.
Revista Mexicana de Literatura (México). Números 1-2, 1964.
Nivel (México). Diciembre, 1963.
La Caña Gris (Valencia), otoño, 1962.
Insula (Madrid), número 207, febrero, 1964.

C. ESTUDIOS RELEVANTES SOBRE CERNUDA

AGUIRRE, J. M.: «La poesía primera de Luis Cernuda». *Hispanic Review* (Pennsylvania), abril, 1966, pp. 121-134.

ARANA, M. D.: «Sobre Luis Cernuda». *Papeles de Son Armadans* (Palma de Mallorca), 39. 1965, pp. 311-328.

BAQUERO, G.: «La poesía de Luis Cernuda». *Darío, Cernuda y otros temas poéticos.* Madrid. Editora Nacional, 1969, pp. 149-191.

BODINI, V.: *Los poetas surrealistas españoles.* Barcelona. Tusquets Editor, 1971.

BOUSOÑO, C.: «La correlación en el verso libre: Luis Cernuda». *Seis calas en la expresión literaria española.* Madrid. Editorial Gredos, 1951, pp. 283-289.

BRINES, F.: «Ante unas poesías completas». *La Caña Gris* (Valencia), otoño, 1962, pp. 117-153.

CANO, J. L.: *De Machado a Bousoño.* Madrid. Editorial Insula. 1954, pp. 121-163.

CANO, J. L.: *La poesía de la generación del 27.* Madrid. Ed. Guadarrama, 1970, pp. 189-257.

CIRRE, J. F.: «Tascendentalismo poético: Luis Cernuda». *Forma y espíritu de una lírica española (1920-1936).* México. Gráfica Panamericana, 1950, pp. 124-134.

CIPLIJAUSKAITÉ, BIRUTÉ: *La soledad y la poesía española contemporánea.* Madrid. Ed. Insula, 1962.

CHARRY LARA, F.: «La poesía como destino». *Revista Mexicana de Literatura* (México), núms. 1-2, 1964, pp. 30-42.

CONTE, R.: «Luis Cernuda, o la poética del deseo». *Informaciones* (suplemento literario), Madrid, 7-11-1974, pp. 1-2.

DEHENNIN, E.: *La resúrgence de Gongora et la generation de 1927*. París, 1961.

ELIZONDO, S.: «Cernuda y la poesía inglesa». *Revista Mexicana de Literatura* (México), núms. 1-2, 1964, pp. 65-70.

FRENTZEL, S.: «La función del cuerpo en la cosmovisión poética de Luis Cernuda». *Cuadernos del Sur* (Bahía Blanca, Argentina), 10. julio, 1968-junio, 1969, p.. 93-101.

GARIANO, C.: «Aspectos clásicos de la poesía de Luis Cernuda». *Hispania* (Oklahoma), XLVIII, mayo, 1965, pp. 234-246.

GULLÓN, R.: «La poesía de Luis Cernuda». *Asomante* (Puerto Rico), VI, 2. Abril-junio, 1950, pp. 34-54; 3. Julio-septiembre, páginas 49-71.

HARRIS, D.: «Ejemplo de fidelidad poética: el superrealismo de Luis Cernuda». *La Caña Gris* (Valencia), otoño, 1962, páginas 102-108.

ILIE, P.: *Los surrealistas españoles*. Madrid. Ed. Taurus, 1972, páginas 293-303.

ILIE, P.: *Documents of the Spanish Vanguard* (North Carolina), Chapel Hill Univ. Press, 1969.

JIMÉNEZ, J. O: «Emoción y trascendencia del tiempo en la poesía de Luis Cernuda». *La Caña Gris* (Valencia), otoño, 1962, páginas 45-83.

JONES, R.: «Luis Cernuda», *Bulletin of Spanish Studies* (Liverpool), XVI, 1938, pp. 195-202.

LÓPEZ ESTRADA, F.: «Estudios y cartas de Cernuda». *Insula* (Madrid), 207. Febrero, 1964, pp. 3 y 16-17.

MARTÍNEZ, D.: «Luis Cernuda, poeta existencial». *Revista de la Universidad de Córdoba* (Argentina), V, 1-2, mayo-junio, 1964, pp. 144-170.

MUÑOZ, J.: «Fidelidad es supervivencia». *La Caña Gris* (Valencia), 3. Invierno, 1960-61, pp. 20-25.

MUÑOZ, J.: «Poesía y pensamiento poético en Luis Cernuda». *La Caña Gris* (Valencia), otoño, 1962, pp. 154-166.

NEWMAN, R. K.: «Primeras poesías». *La Caña Gris* (Valencia), otoño, 1962, pp. 57-62.

OTERO, C. P.: «La tercera salida de 'La Realidad y el Deseo'». *Papeles de Son Armadans* (Palma de Mallorca), XVII, 1960, pp. 425-471.

OTERO, C. P.: «Variaciones de un tema cernudiano». *La Caña Gris* (Valencia), otoño, 1962, pp. 39-44.

OTERO, C. P.: «Cernuda en Califonia». *Insula* (Madrid, 207. Febrero, 1964, pp. 1 y 14.

OTERO, C. P.: *Letras I*. Londres, Támesis Books Ltd., 1966.

Panero, L.: «Ocnos, o la nostalgia contemplativa». *Cuadernos Hispanoamericanos* (Madrid, 10. 1949, pp. 183-187.

Paz, O.: *Las peras del olmo*. México. Imprenta Universitaria, 1957, pp. VI-VII y 73.

Paz, O.: «Andando el tiempo». *Claridades Literarias* (México), 2. 7 de mayo, p. 23.

O. Paz: *Cuadrivio*. México. Ed. Joaquín Mortiz, 1965, pp. 167-202.

Rozas, J. M. y González Muela, J.: *La generación poética de 1927* (Estudio y antología), Madrid. Ediciones Alcalá, 1966.

Rozas, J. M.: *Documentos de la generación del 27*. Madrid. Ediciones Alcalá, 1974.

Salinas, P.: *Literatura española siglo XX*. México. Ed. Séneca, 1949.

Salinas, P.: *Literatura Española siglo XX*. Madrid. Alianza Editorial. 1970, pp. 213-221.

Schulman, A.: «Luis Cernuda: Primeras poesías. Etudes de quelques variants». *Centre de Etudes Iberiques*, Rennes. Faculté des Lettres, enero, 1968.

Serrano Plaja, A.: «Notas a la poesía de Luis Cernuda». *El Sol* (Madrid), núm. 5.845, domingo, 17 de mayo de 1936, p. 2.

Tavani, G.: «Verso e frase nella poesia di Cernuda». *Studi di letteratura spagnola*. Roma. Societá filologica romana. 1966.

Thompson, U.: *Estudio de la soledad en la poesía de Luis Cernuda*. Honor work. Mount Holyoke College, 1954.

Uceda, J.: «La patria más profunda». *Insula* (Madrid, núm. 207. Febrero, 1964, p. 8.

Vivanco, L. F.: *Introducción a la poesía española contemporánea*. Madrid. Ed. Guadarrama, 1957, pp. 293-338.

Virkel, A. E.: «El simbolismo de las aguas en la poesía de Cernuda». *Cuadernos del Sur* (Bahía Blanca, Argentina), 10. Julio, 1968-junio, 1969, pp. 79-93.

Valente, J. A.: *Las palabras de la tribu*. Madrid. Ed. Siglo XXI, 1971.

Valente, J. A.: «Luis Cernuda en su mito». *Insula* (Madrid), febrero, 1964, p. 2.

Valente, J. A.: «Luis Cernuda y la poesía de la meditación». *La Caña Gris* (Valencia), otoño, 1962, pp. 29-38.

Zuleta, E.: *Cinco poetas españoles*. Madrid. Ed. Gredos, 1971, páginas 396-458.

D. OTROS ESTUDIOS SOBRE CERNUDA Y SU OBRA

ACOSTA, H.: «Sobre 'Variaciones'». *Novedades* (México), 9-1-1953.

ADELL, A.: «El panteísmo esencial de Luis Cernuda». *Insula* (Madrid), septiembre, 1972, pp. 3-6.

AGUIRRE, J. M.: «Ocnos». *El Noticiero* (Zaragoza), enero, 1946.

ALEIXANDRE, V.: «Luis Cernuda deja Sevilla». *Cántico* (Córdoba), núms. 9-10, 1955, pp. 7-8.

ALEIXANDRE, V.: «Luis Cernuda en la ciudad». *La Caña Gris* (Valencia), otoño, 1962, p. 11.

ALTOLAGUIRRE, M.: «Vida y poesía. Cuatro poetas últimos». *Lyceum* (La Habana), IV, núm. 14. 1936, pp. 15-29.

ALTOLAGUIRRE, M.: «En la distancia que duerme: despertar de Luis Cernuda». *Las Españas* (México), 1-2. 29 de noviembre de 1946.

ALTOLAGUIRRE, M.: «A Luis Cernuda». *Cántico* (Córdoba), números 9-10, 1955, p. 9.

Anónimo: «Caballo de fuego: la poesía del siglo XX en América y España». *Caballo de fuego* (Buenos Aires), 1952, página 211 y siguientes.

APARICIO, A.: «Soleares para un poeta». *Insula* (Madrid), número 207, febrero, 1964, p. 20.

ARANA, M. D.: «Cántico. Homenaje a Luis Cernuda». *Las Españas* (México), 26-28, 1956.

ARANA, M. D.: «La cultura al día». *Novedades* (México), julio, 1961.

ARANA, M. D.: «La poesía de Luis Cernuda». *Nivel* (México), 32. Agosto, 1961, pp. 2 y 6.

ARTECHE, M.: «Como quien espera el alba». *Atenea* (Chile), XLIII, mayo, 1949, pp. 362-363.

AUB, M.: *La poesía española contemporánea.* México. Imprenta Universitaria, 1954, pp. 175-178.

AVILÉS, A.: «Poetas mayores. Luis Cernuda, poeta de sensibilidad mestiza». *El Universal* (México), 8-3-1953, pp. 18-19.

AYALA, F.: «Perfil del aire». *La Gaceta Literaria* (Madrid), 1-5-1927, p. 9.

AYALA, J. A.: «Pensamiento poético en la lírica inglesa». *Armas y Letras* (Monterrey), octubre-diciembre, 1958, pp. 96-97.

AZCOAGA, E.: «Poesía. Hölderlin, el joven puro». *El Sol* (Madrid), núm. 5.843, 15 mayo, 1936, p. 2.

AZCOAGA, E.: «Entregas sobre Luis Cernuda». *Cántico* (Córdoba), núms. 9 y 10, 1955, pp. 29-31.

Baquero, G.: «Nota sobre Luis Cernuda». *Diario de la Marina* (La Habana), 25-11-1951.

Bell, Aubrey: *Castilian Literature*. Oxford. Clarendon Press, 1938, pp. 115-116.

Bell, Aubrey: *«Ocnos»*. *Bulletin of Spanish Studies* (Liverpool), XX, 1943, p. 162.

Bergamín, J.: «El idealismo andaluz». *La Gaceta Literaria* (Madrid), 1927, 1 de junio, p. 4.

Bermúdez, M. E.: «Dos libros sobre México». *Excelsior* (México), 15 de febrero, 1953, p. 36.

Blecua, J. M.: *Historia y textos de la literatura española*. Zaragoza. Librería General, tomo II, 1950, p. 276.

Bleiberg, G.: «Luis Cernuda». *Diccionario de la Literatura Española*. Madrid. Revista de Occidente, 2.ª ed., 1949, pp. 123-124.

Cano, J. L.: «Sobre el *Ocnos* de Luis Cernuda». *Cartel de las Artes* (Madrid), núm. 5. 15 agosto, 1945.

Cano, J. L.: «Ocnos». *Occidental* (Nueva York), núm. 4, abril, 1949, pp. 25-26.

Cano, J. L.: «Dos libros sobre México». *Insula* (Madrid), 93, 15 septiembre, 1953, pp. 6-7.

Cano, J. L.: «Poesía española contemporánea». *Cuadernos* (París), núm. 31, julio-agosto, 1958, pp. 103-104.

Cano, J. L.: «En la muerte de Luis Cernuda». *Revista de Occidente* (Madrid), 4. 1964, pp. 364-368.

Carballo, E.: «Luis Cernuda». *México en la Cultura* (México), número 504, 505, 508, 1958.

Carballo, E.: «Sobre *La realidad y el deseo*». *Gaceta del FCE* (México), enero, 1959.

Carballo, E.: «Por primera vez Luis Cernuda refiere la historia de su formación poética». *El Tiempo* (Bogotá), 22-2-1959, páginas 1 y 4.

Carballo, E.: Luis Cernuda sin punto y aparte. *México Cultural* (México), 643. 19 de julio, 1961.

Casalduero, J.: «El poeta y la guerra civil». *Hispanic Review* (Pennsylvania), abril, 1971, pp. 133-140.

Castellet, J. M.: «Luis Cernuda». *La Caña Gris* (Valencia), otoño, 1962, p. 28.

Castelltort, R.: «Luis Cernuda en la poesía española contemporánea». *Indice* (Madrid), dic., 1957, p. 25 .

Cohen, J. M.: *Poesía de nuestro tiempo*. México. FCE., 1963.

Chabás, J.: *«Perfil del Aire»*. *La Libertad* (Madrid), abril, 1927.

Chacel, R.: «Luis Cernuda, un poeta». *La Caña Gris* (Valencia), otoño, 1962, pp. 18-20.

CHACEL, R.: «Respuesta a Ortega». *Sur* (Buenos Aires), número 241, 1956, pp. 113-117.

CHACÓN Y CALVO, J. M.: «Presencia de Luis Cernuda». *Diario de la Marina* (La Habana), 3 febrero, 1952, p. 55.

CHAMBERS, D.: *Estudios sobre poesía española contemporánea.* Winter. Books Abroad, 1959.

CHARRY LARA, F.: «Luis Cernuda, un poeta de la soledad». *El Tiempo* (Bogotá), 21 marzo, 1948.

CHARRY LARA, F.: «El último libro de Luis Cernuda: *Como quien espera el alba*». *El Tiempo* (Bogotá), febrero, 1948.

DEBICKI, A.: *Estudios sobre poesía española contemporánea.* Madrid. Ed. Gredos, 1968, pp. 87-115.

DELGADO, A.: «Cernuda y los estudios literarios». *Cuadernos Hispanoamericanos* (Madrid), abril, 1968, pp. 87-115.

DELGADO, A.: «Desolación de la Quimera». *Claraboya* (León), 7. 1965, pp. 22-26.

DÍAZ PLAJA, G.: *Historia de la poesía española.* Barcelona. Ed. Labor, 2.ª ed. 1948, pp. 438-439.

DIAZ QUIÑONES, A.: «Elegía anticipada. Glosa a un poema de Luis Cernuda». *Insula* (Madrid), febrero, 1964, p. 15.

DIEGO, G.: *«Perfil del aire».* *Arriba* (Madrid), 23-6-68.

DOMINGO, J.: «El estudio del tiempo en la poesía española contemporánea». *Papeles de Son Armadans* (Palma de Mallorca), 112, 1965, pp. 191-202.

DORESTE, V.: «Poemas para un cuerpo». *Insula* (Madrid), número 142, septiembre, 1958, p. 7.

DUEÑAS, G.: «A propósito de Luis Cernuda». *Nivel* (México), número 27, 25-3-1961, p. 6.

DUEÑAS, G.: «Despedida a Cernuda». *Nivel* (México), 25-8-1961.

DURÁN, M.: «La poesía del treinta y seis vista desde el exilio». *Cuadernos Americanos* (México), XXV, sep.-oct., 1966, páginas 222-233.

FERNÁNDEZ, E.: «Sobre Cernuda». *Indice* (Madrid), julio, 1959, página 26.

FERNÁNDEZ MORENO, C.: «Las ilusiones». *Sur* (Buenos Aires), 125, marzo, 1945, pp. 75-78.

FERNÁNDEZ SANTOS, F.: «Estudios sobre poesía española contemporánea». *Indice* (Madrid), diciembre, 1957, p. 25.

FERRATÉ, J.: *La operación de leer.* Bacelona. Seix Barral, 1962.

FERREIRO, C. E.: *«La realidad y el deseo»,* 3.ª edición. *Indice* Madrid, abril, 1959.

FERRERES, R.: «Sobre la generación poética de 1927». *Papeles de Son Armadans* (Palma de Mallorca), t. IX, núms. 32-33, diciembre, 1958, pp. 301-314.

Florit, E.: «Como quien espera el alba». *Revista Hispánica Moderna* (Nueva York), XVI, pp. 141-142.

Freire, I.: «Presencia de Luis Cernuda». *Revista Mexicana de Literatura.* (México), núms. 1 y 2, 1964, pp. 53-57.

Gallo, U.: *Storia della Letteratura Spagnola.* Milán, 1952, página 734.

García Baena, P.: «Divagación sobre la Andalucía de Luis Cernuda». *Cántico* (Córdoba), núms. 9 y 10, 1955, pp. 43-45.

Gicovate, B.: *Ensayos sobre literatura hispánica, del modernismo a la vanguardia.* México, 1967. Ediciones de Andrea.

Gil-Albert, J.: «Ficha conmemorativa». *La Caña Gris* (Valencia), otoño, 1962, pp. 26-27.

Gil-Albert, J.: «Apuntes sobre la nueva España de siempre». *Sur* (Buenos Aires), núm. 118, agosto, 1944, p. 70.

Girri, A.: «Vida y poemas de Hölderlin». *Correo Literario* (Buenos Aires), 15 agosto, 1944.

Gringoire, P.: «Libros de nuestros tiempos, Poesía y Literatura». *Excelsior* (México), 9 de agosto, 1961.

González Alegre, R.: «Sobre una interpretación de Rosalía de Castro». *Papeles de Son Armadans* (Palma de Mallorca), VIII, 1958, pp. 150-63.

González Casanova, E.: «Luis Cernuda». *México en la Cultura* (México), 5 septiembre, 1961.

González Ruiz, N.: «Lo contemporáneo en la poesía». *Ya* (Madrid), 1 diciembre, 1957.

Gullón, R.: «La poesía de Luis Cernuda». *Alerta* (Santander), 21 marzo, 1949.

Hierro, J.: «Notas sobre la crítica en Cernuda». *La Caña Gris* (Valencia), otoño, 1962, pp. 21-25.

Jiménez, J. R.: «Luis Cernuda». *Insula*, febrero, 1964, p. 1.

Jiménez, J. R.: «Con la inmensa minoría». *El Sol* (Madrid), número 5.828, 26 abril, 1936, p. 4.

Jiménez, J. R.: «A Luis Cernuda». *El Hijo Pródigo* (México), I, 1943, pp. 337-340.

Krolow, K.: «Zur spanischen Lyrik zwischen den Weltkrieger». *Neue Deutsche Hefte,* 53, 1958, pp. 828-834.

Laffranque, M.: «Estudios sobre poesía contemporánea». *Bulletin Hispanique* (Burdeos), LX, pp. 252-255.

Lama, A. G. de: *«Ocnos».* *Espadaña* (León), 1949, p. 49.

Lefebvre, A.: *«La poesía del capitán Aldana».* (Chile), Universidad de Concepción, 1953, pp. 27, 179, 186.

Leiva, R.: «La poesía española contemporánea». *El Nacional* (México), 9 marzo 1958, pp. 8-9.

Lerín, M.: «Apreciaciones de Luis Cernuda». *El Nacional* (México), 19 enero, 1953.

Lewe, R.: «Conversaciones con Luis Cernuda». *Novedades* (México), domingo 16 de enero de 1954.

Ley, D. Ch.: «Troilo y Crésida». *Insula* (Madrid), 15 septiembre 1953, p. 7.

López Gorgé, J.: *«Ocnos»*. *Manantial* (Melilla). Entrega segunda.

Luis, L. de: «La soledad poblada». *Cántico* (Córdoba), números 9 y 10, 1955, pp. 36-37.

Madariaga, S.: «Notas españolas: un rato con Carmen». *El Sol* (Madrid), 1 abril, 1927, p. 4.

Marquina, R.: «Bécquer-Cernuda, ida y vuelta». *Información* (La Habana), 26 enero, 1952.

Marquina, R.: «Unamuno según Cernuda». *Información* (La Habana), 8 enero, 1952.

Martín, M.: «Luis Cernuda y su tiempo». *Gaceta social de México* (México), 146, octubre, 1955, pp. 8-9.

Martínez Cachero, J. M.: «Homenaje a Luis Cernuda». *Archivum* (Oviedo), V, 421-422, 1955.

Martínez, J. L.: «La poesía de Luis Cernuda». *El Nacional* (México), 1 junio, 1941, p. 3.

Macclelland, I. L.: *«Como quien espera el alba»*. *Bulletin of Spanish Studies* (Liverpool), XXV, 1948, pp. 180-182.

Mejía Sánchez, E.: «Carta a Luis Cernuda». *La Gaceta del FCE* (México), año VI, núm. 80, abril, 1961, p. 4.

Mejía Sánchez, E.: «Experimento en Luis Cernuda». *México de la Cultura* (México), 23 julio, 1961, p. 13.

Méndez, C.: «Luis Cernuda». *Insula* (Madrid), febrero, 1964, página 13.

Molina Campos, E.: «Románticos españoles y románticos ingleses». *Caracola* (Málaga), febrero, 1959.

Molina Campos, E.: *«Cántico* (homenaje a Luis Cernuda)». *Caracola* (Málaga), junio, 1956.

Molina, R.: «Justicia poética: Luis Cernuda». *Cántico* (Córdoba), núm. 4, octubre-noviembre, 1954.

Molina, R.: «La conciencia del tiempo, clave esencial de la poesía de Luis Cernuda». *Cántico* (Córdoba), núms. 9 y 10, 1955, pp. 37-41.

Monterde, A.: *La poesía pura en la lírica española*. México. Imprenta Universitaria, 1953, pp. 129-131.

Morales, J. R.: *Poetas en el destierro*. Santiago de Chile. Ed. Cruz del Sur, 1960, p. 246.

Moreno Villa, J.: *Vida en claro. Autobiografía.* México. Ed El Colegio de México, p. 144 y siguientes.

Montesinos, R.: «*'Ocnos'.* Los poemas en prosa de Luis Cernuda». *Proel* (Santander), primavera, 1946, pp. 98-100.

Mundell, P.: «Luis Cernuda». *Golden Gate* (San Francisco), número 55, 6 de diciembre, 1961, p. 5.

Muñoz, Rojas, J. A.: «Recuerdos de Luis Cernuda». *Cántico* (Córdoba), núms. 9 y 10, 1955, p. 15.

Newman, R. K.: «El hombre visto a través de su poesía». *Insula* (Madrid), febrero, 1964, p. 6.

Núñez, V.: «Presencia de Luis Cernuda». *Caracola* (Málaga), 1955, agosto, p. 36.

Núñez, V.: «Pensamiento crítico y poesía en Luis Cernuda». *Insula* (Madrid), 5 enero, 1961.

Núñez, V.: «Luis Cernuda, en su palabra». *Insula* (Madrid), febrero, 1964, p. 5.

Ors, E. d': *Nuevo glosario.* Madrid. Aguilar, vol. 3, 1949, páginas 97-8.

Otero, C. P.: «Indígenas y extranjeros sobre Cernuda». *La Caña Gris* (Valencia), otoño, 1962, Valencia, pp. 109-111.

Panero, L.: «Un poeta habla de su generación». *Blanco y Negro* (Madrid), 23 de noviembre, 1957.

Paz, O.: «*Ocnos*». *El Hijo Pródigo* (México) I, pp. 188-9.

Peers, A.: «*La realidad y el deseo*», 2.ª edición. *Bulletin of Spanish Studies* (Liverpool), XX, p. 170-171.

Philips, A.: «Consideraciones en torno a la crítica reciente de Cernuda». *Revista Hispánica Moderna* (Nueva York), XXVI, 1960, pp. 106-112.

Pinto, A.: «Gregorio Prieto». *Insula* (Madrid), 15 enero, 1948.

R. E. Chandler y K. Schwartz: *A new history of spanish literatur.* Louisiana. Baton Rouge. State University Press, 1961, páginas 397-399.

Río, A. del: *Historia de la literatura española.* Nueva York. Ed. Spanish Institute, 5.ª ed., tomo II, núm. 4, 1963.

Roa Bastos, A.: «Hablando con Luis Cernuda». *El Tiempo* (Bogotá), 7 octubre, 1945.

Roa, R.: «Estudios sobre poesía española contemporánea». *En Pie* (Universidad Central de Las Villas), 1959, pp. 409-411.

Sáinz de Robles, F. C.: *Ensayo de un diccionario de la literatura,* tomo II, Madrid. Ed. Aquiles, 1953, p. 231.

Salazar Chapela, E.: «*Perfil del aire*». *El Sol* (Madrid), 18 de mayo de 1927, p. 2.

Salinas, P.: *Nueve o diez poetas* (USA), Contmporary Spanish poetry. E. L. Turnbull, pp. 14-16.

Salinas, P.: «Cernuda, Luis». *Columbia Dictionary of Modern European Literatur* (Nueva York), Columbia Univ. Prss, 1947, páginas 158-159.

Segovia, T.: *«La realidad y el deseo»*. *Revista Mexicana de Literatura* (México), núms. 1-2, enero, marzo, 1959, pp. 82-87.

Serrano Plaja, A.: «Donde habite el olvido». *Tiempo presente* (Madrid) 1 marzo, 1935, pp. 15-16.

Souvirón, J. M.: *Antología de poetas españoles contemporáneos* (1900-1933), Santiago de Chile. Ed. Nascimento, 1934, página 290.

Sullivan, C.: «Noted spanish poet to joint SF State». *Golden Gate* (San Francisco), 3 mayo, 1961, p. 5.

Stephenson, R. C.: «Poetry from Spain». *The Kenyon Review*, otoño, 1945, p. 712.

Terry, A.: «Poesía y literatura». *Bulletin of Spanish Studies* (Liverpool), XXXVIII, 1961, pp. 287-288.

Torrente Ballester, G.: *Literatura Española contemporána*. (1898-1936). Madrid. Ed. Afrodisio Aguado, p. 435.

Torrente Ballester, G.: *Panorama de la literatura española contemporánea*. Madrid. Ed. Guadarrama, 1956, pp. 360-361.

Tovar, A.: «El paso del tiempo y un libro sobre la poesía española». *Papeles de Son Armadans* (Palma de Mallorca), VIII, 1958, pp. 319-320.

Turnbull, E. L.: «Luis Cernuda». *Contemporary Spanish Poetry* (USA), 1945, p. 339.

Umbral, F.: «La poesía de Luis Cernuda». *Poesía Española* (Madrid), 132. 1963.

Valbuena Prat, A.: *La poesía española contemporánea*. Maddrid. Ed. Iberoamericanas, 1930, pp. 123-125.

Valencia, J.: «El cansancio en la poesía de Luis Cernuda». *Clavileño* (Madrid), V, 30. 1954, nov.-dic., pp. 150-151.

Valle, A. del: «Oscura noticia de Luis Cernuda». *Cántico* (Córdoba), núms. 9 y 10, 1955, pp. 11-13.

Varela, L.: *«La realidad y el deseo»*. *Romance* (México), 15 febrero, 1940.

Velázquez, F.: «La poesía española del siglo veinte, vista por Cernuda». *La Estafeta Literaria* (Madrid).

Varela, L.: «El joven marino». *El Sol* (Madrid), núm. 5.855, 29 de marzo de 1936, p. 2.

Villa Pastur, J.: «Estudios sobre poesía española contemporánea». *Archivum* (Oviedo), VII, oct.-dic., 1957, pp. 322-325.

Vocos Lezcano, J.: «Tres libros españoles». *Buenos Aires Literario* (Buenos Aires), núm. 3, dic. 1956, pp. 51-53.

Wilson, E. M.: «Cernuda, Luis», en S. M. Steinberg (ed.). *Encyclopedia of World Literature* (Londres. Corsell and Co., página 1.737.

Zambrano, M.: «La poesía de Luis Cernuda». *La Caña Gris* (Valencia), otoño, 1962, pp. 15-16.

Zambrano, M.: «Luis Cernuda» en *Poeti del novecento italiani e stranieri*. B. Croce (editor), Turín. Ed. Einaudi, 1960, página 848.

Zardoya, C.: *Poesía española del 98 y del 27*. Madrid. Gredos, 1968.

INDICE